Le Dernier des raisins

Raymond Plante

Le Dernier
des raisins

roman

Boréal

Les Éditions du Boréal sont inscrites au Programme de
subvention globale du Conseil des Arts du Canada.

Maquette de la couverture: Rémy Simard
Illustration de la couverture: Anne Villeneuve

© Les Éditions du Boréal
Dépôt légal: 4ᵉ trimestre 1993
Bibliothèque nationale du Québec

Diffusion au Canada: Dimedia
Distribution en Europe: Les Éditions du Seuil

Données de catalogage avant publication (Canada)
Plante, Raymond, 1947-

Le Dernier des raisins

(Boréal inter; 11)

Pour les jeunes.

ISBN 2-89052-392-6

I. Titre.

PS8581.L33D47 1991   jC843'.54   C91-096172-7
PS9581.L33D47 1991
PZ23.P52De 1991

À ma fille Emmanuelle.

À ses amies Manon, Josée et Marie-Claude... qui aiment danser.

Aussi à Andréa, Anik, Luc et François... qui aiment rire.

À Christyne Lauzon, avec un merci.

À la santé de la jeunesse qui m'apprend l'époque.

À l'amour.

À l'humour.

À l'envers comme à l'endroit.

1

le cœur dans l'ascenseur

Une mouche ! J'ai avalé une mouche. Pas une grosse mouche verte à vidanges, j'en suis presque sûr. Peut-être une petite mouche de rien ou une mouche à merde, je ne l'ai pas vue. Mais une mouche est une mouche. Je l'ai sentie s'écraser dans ma gorge. C'est pas une sensation agréable. Il faudra que j'apprenne à me fermer la gueule en moto. C'est une règle. Parce qu'il a fallu que je monte sur la Yamaha RD 350 de Luc. Il vient de l'acheter. Un spécial de fin de saison. Une petite annonce dans *La Presse* :

> « YAMAHA RD 350 1984, très propre et full face, pneus neufs, $1 350, Claude 783- etc. »

Luc m'a dit que le Claude en question avait la larme à l'œil en regardant partir sa moto. Une affaire incroyable ! Luc a travaillé comme un chien tout l'été pour rouler sur un engin semblable. Combien de hot-dogs a-t-il bourrés de relish-moutarde-chou ? Combien de paniers de grosses frites graisseuses a-t-il secoués au-dessus de l'huile bouillante ? Combien de boulettes de hamburgers a-t-il retournées sur le grill ? Combien de clients a-t-il servis, la tête ailleurs, la cervelle à cheval sur sa moto ? Luc est fou. Depuis trois jours, il ne parle plus, il ronronne. Il écoute son moteur, vibre avec lui, l'ausculte... et se demande pourquoi il s'étouffe aussi souvent. Mais il jure qu'il trouvera bien le bobo. Il ne veut pas traîner d'un garage à l'autre et surtout pas avouer qu'il s'est fait passer un citron. Luc Robert a son orgueil. Cette moto-là, c'était une aubaine formidable ! Il y tient.

Après avoir payé son bienfaiteur, il ne lui restait pas assez d'argent pour s'équiper des vêtements de cuir qui font les vrais motards. Il a commencé par s'acheter un beau casque neuf et flamboyant — ce qui n'est pas donné — et s'est fait percer l'oreille droite. C'est à la mode et ça fait plus motard. Avec sa moto, son casque et son oreille, il attendait impatiemment que l'école nous fasse signe de revenir. Lui, il était prêt. Hier, il m'a dit :

— Je te ramasse à neuf heures.

Il avait le ton autoritaire qu'il utilise quand il veut me faire croire que ma musique classique, c'est bon pour les tapettes. Je me suis débattu un peu.

— Il te faudrait deux casques. Je tiens à ma tête, moi. On aurait l'air fin si on se faisait arrêter par la police.

J'avais l'impression de chialer comme ma mère quand elle veut me convaincre que tout est dangereux.

— Un casque ! Je vais t'en trouver un ! Tu vas voir, on va faire sensation.

Sensation ! ouais... Tout le monde nous a vus. Tout le monde nous a montrés du doigt. Tout le monde a ri aussi. En entrant dans la cour de la polyvalente, Luc a voulu faire le fin et beaucoup de bruit. C'était pas l'endroit. Son moteur s'est mis à fumer et à rouspéter pour finalement s'étouffer. Là, j'ai dû descendre plus tôt que prévu. Nous avions l'air ridicule. Moi avec son vieux casque de football trop petit pour ma tête et la maudite mouche que je n'arrivais pas à cracher ! Lui à faire semblant d'examiner en expert son idiot de moteur ! Il n'aurait pas dû s'exténuer à le remettre en route. Les vautours ont eu beau jeu.

Avant que la polyvalente au complet ne s'attroupe autour de nous, j'ai voulu remettre le casque de football à Luc. Pas facile à enlever, ce truc-là, quand on porte des lunettes. Et c'est plutôt Luc qui m'a mis son casque de moto dans les bras et a poussé sa Yamaha RD 350 vers les simples bicyclettes cadenassées qui l'attendaient humblement. On a subi quelques

sarcasmes. On a riposté avec des blagues plus ou moins réussies. Des répliques pas méchantes, mais qui chan-
gent le mal de place, preuves que nous
possédions encore de l'humour dans la
honte.

Nous nous sommes dirigés vers
l'entrée principale. Pour soigner son
orgueil qui venait d'essuyer un dur coup,
Luc a laissé glisser entre ses dents :

— Le monde est plein de jaloux !

— Ouais... C'est pour ça qu'il faut
pas se casser la gueule quand on pète
de la broue.

Luc m'a regardé de travers.

— Qu'est-ce que tu veux dire ?

— Moi ? Rien.

Pour l'encourager, je lui ai dit que
je l'approuvais.

À l'intérieur de la poly, ça sentait
le renfermé. La même odeur que nous
avions laissée là en juin, un peu surie
peut-être. Il faisait chaud à en crever.
Sur la moto, à cause du vent, je ne m'en
étais pas aperçu... ensuite, la honte
m'avait fait croire que c'était moi qui
produisais cette chaleur-là. Je me

trompais. Il faisait vraiment chaud. C'est toujours comme ça. On dirait qu'il s'agit de parler d'école pour que l'été reprenne vie. Tout le monde dégoutte et rêve de piscine. Mais ça repart. Le travail de la tête recommence.

Plus jeune, j'étais content. Les vacances m'ennuyaient à la longue. Maintenant, c'est la même chose mais, pour la forme ou pour faire comme les autres, je joue l'écœuré. Si je m'amenais en hurlant : « Youppi ! les cours reprennent ! », de quoi j'aurais l'air, hein ? Du dernier des concombres ! D'autant plus qu'ils ne débuteront vraiment que la semaine prochaine. Aujourd'hui, nous venons chercher nos livres, notre horaire et nous faire photographier. C'est la routine du premier jour où on niaise à faire la queue d'une place à l'autre. Alors j'entre dans la polyvalente en traînant mes *runningshoes* sur le terrazzo bien ciré. À mes côtés, Luc voyage en solitaire. Il flotte. Il donne l'impression de naviguer une dizaine de centimètres au-dessus du sol. Il ne voit rien. Seul au monde ! Il lévite, comme si un gourou lui avait appris la manière. Il ne regarde personne mais il ne manque rien. Du coin de l'œil, il épie tous ceux que nous croisons pour voir qui remarquera l'anneau de son oreille.

D'abord, nous nous rendons à la cafétéria pour la photo. Il faut que notre tête apparaisse sur notre carte d'étudiant, parce que, sans carte, il paraît que nous ne sommes rien. Et paf! En entrant dans la café, c'est arrivé. Paf! Comme la foudre! Le coup dans les côtes! Le hurlement du système d'alarme!

Elle était là! Là! En plein cœur de la grande salle où tout le monde se reconnaissait et parlait en même temps. Là! Comme un bout de vacances qui veut pas disparaître! Là! Les jambes étendues, le dos contre le bord d'une des longues tables, à parler avec Andréa Paradis et Stéphanie Lachapelle. Ce sont ses jambes que j'ai remarquées en premier... ses jambes parce que... parce qu'elle portait deux *runningshoes* de couleurs différentes. Un mauve avec des contours roses et l'autre carreauté. Si ça n'avait été que ses jambes... des jambes, j'en avais quand même déjà vu, mais il y avait le reste. J'aurais pu jurer qu'elle souriait pour le simple plaisir de montrer ses dents blanches et parfaites. Un sourire que les fabricants de dentifrice vont s'arracher pour leurs publicités. Des yeux bleus, grands comme des piscines, maquillés comme pour un party et qui pétillent... de quoi s'y noyer ou y fêter au champagne. Je suis un peu snob, je sais, je préfère le champagne à la bonne vieille bière. Et puis, ses cheveux... ses petits cheveux blond, rouge et noir... bon ! Des cheveux de trois couleurs et de plusieurs longueurs différentes ! Des cheveux à faire redresser ceux de ma mère qui déteste les choses extravagantes et les gens qui veulent se faire remarquer. Pour cette raison, ma mère ne pète jamais en public. Elle m'a appris à en faire autant, ce qui est le premier principe de la bonne éducation selon elle et ma grand-mère.

Tout d'un coup, j'avais le cœur dans les genoux... comme s'il avait pris l'ascenseur pour me laisser sans voix, le regard glauque, l'esprit comme des mains qui s'acharnent à saisir un savon de bande dessinée. Je ne regardais plus où j'allais, j'avançais. Normalement, j'aurais dû être aux côtés de Luc, mais le cave avait bifurqué, me laissant seul. Elle a bien vu que je ne pouvais plus la quitter des yeux. Et c'est ainsi qu'elle m'a dit tout simplement :

— Salut !

J'aurais voulu lui dire salut, moi aussi. Mais la voix m'a manqué. J'avais le cœur au fond de mes *runningshoes*, les orteils en nœuds, la langue comme une pâte molle dans ma bouche béante. Mon pied gauche a buté contre une table... Oui ! Avec le bruit qu'il faut pour attirer l'attention d'une foule, je suis rentré directement dans une table. Un peu plus et je m'y serais étendu comme un cadavre fatigué. Du coup, le cœur m'est remonté aux oreilles que je sentais rouges comme une crête de coq. J'ai réussi à rattraper mes lunettes avant qu'elles ne s'égarent trop loin et j'ai fait demi-tour. En deux ou trois secondes, qui m'ont semblé une éternité, une bonne douzaine de boutons m'ont poussé dans le dos. C'est là qu'ils se concentrent quand je suis nerveux, gêné ou fatigué. Là ou sur mon nez.

Si j'avais pu ramper sous le terrazzo ou emprunter les conduits d'aération du plafond, je l'aurais fait volontiers. D'autant plus qu'elle m'a trouvé drôle et qu'elle s'est mise à rire avec ses amies. Le pire chœur de rires que j'aie entendu de toute mon existence de timide. J'aurais pu me donner une série de coups de pied dans le derrière. J'étais raisin. Je me sentais raisin. Le dernier des raisins ! Et, si j'avais été intelligent pour deux sous, j'aurais poursuivi ma gaucherie et me serais jeté aux genoux de cette fille-là pour lui demander son nom, son numéro de téléphone et tout et tout. Mais je suis débile dans ces occasions-là. Le parfait débile ! Alors j'ai couru rejoindre Luc qui se demandait ce que j'étais en train de fabriquer presque à plat ventre sur une table.

— Tu as vu la nouvelle ?
— Quelle nouvelle ?
— Celle-là.

Je n'osais pas la montrer du doigt. J'ai dit :

— Celle qui parle avec Andréa et Stéphanie.

— C'est pas une nouvelle. C'est Anik.

— Anik ?

— Anik Vincent !

Et Luc, mon copain Luc Robert, a continué sa route vers le fond de la salle. Moi, le cœur en bataille, je l'ai suivi.

Anik Vincent ! Comment ai-je pu ne pas la reconnaître ? Je n'avais aucune raison de m'enfler la tête parce qu'elle m'avait salué. Elle me connaissait. Elle me connaît depuis notre quatrième année. Ça fait sept ans que nous sommes dans la même classe, elle et moi. Sept ans complets. Et voilà que je ne la reconnaissais plus. C'est vrai que, l'année dernière, avec ses broches ou plutôt les barbelés qu'elle avait aux dents, elle n'était pas tellement attirante. Et puis il y avait ses grosses lunettes rouges qui ne lui convenaient pas du tout... à mon goût en tout cas. Et puis elle s'habillait toujours en jeans... et ses cheveux qu'elle ne coiffait jamais et qui ne savaient pas s'ils devaient être longs ou courts, bruns ou noirs. Anik Vincent ! Est-ce que c'était possible ? Qu'est-ce qu'elle avait pu manger pendant l'été ?

*   *   *

Luc et moi, nous sommes maintenant les trente-cinquième et trente-sixième de la longue file de tous les épais qui attendent de se faire photographier.

— T'as pas reconnu Anik Vincent ?

— Ben... je l'ai prise pour une autre.

Je me défends. Je ne veux pas révéler les moindres replis de mon âme à un motard amateur.

— T'aurais besoin de changer de lunettes, bonhomme !

Comme dans la chanson de Michel Rivard, je pourrais lui répondre qu'Anik Vincent « a mis de la brume dans mes lunettes », mais je reste silencieux, ailleurs... Je cherche mon cœur qui bat toujours, mais je ne sais plus exactement où. Il a fait un sacré tour d'ascenseur. Boum ! boum ! Au fond de moi, j'aimerais bien savoir pourquoi je me sens perdu, à l'envers, à l'endroit, les pieds à côté de mes souliers... mais tellement bien. Tellement bien !

— Ça fait pas mal ! Ça pince à peine un peu !

Luc devient bavard. Pierre Jodoin a remarqué l'anneau de son oreille. S'il n'était pas complètement branché sur ses petites choses, Luc me demanderait quelle mouche m'a piqué. Je bafouillerais une réponse évasive, n'importe quoi. J'ai même oublié la mouche que j'ai avalée.

Et les cours, les cours qui ne reprennent vraiment que la semaine prochaine.

2
les plans
d'un play-boy-à-lunettes

Dans la cohue de septembre, moi
François Gougeon, j'ai décidé de tout
mettre en œuvre pour séduire Anik
Vincent. La grande question que je me
posais était celle-ci : un intellectuel-à-
lunettes a-t-il autant de chances de séduire une fille qu'un play-boy-à-
raquette ? Dans cette question très offi-
cielle et inquiétante, j'utilisais des mots
un peu forts. Je suis un intellectuel de
petits chemins. J'aime assez lire, seul

dans ma chambre, les écouteurs de mon baladeur sur les oreilles. Bon ! Et j'écoute un groupe de musiciens farfelus qui s'appellent Mozart, Bach, Chopin, Beethoven et quelques autres. D'accord, c'est moins courant que Michael Jackson, Prince, Madonna ou les New Kids on the Block. Mais on me traite d'intellectuel surtout à cause de mes lunettes et de mon physique. Le sport et moi, nous sommes comme le carré de l'hypoténuse et l'haleine du matin. Nous avons très peu de chose en commun. Il suffit que je fasse deux enjambées de jogging pour que je m'enfarge dans mes *runningshoes*. J'aurais dû me poser aussi une série d'autres questions secondaires et infiniment plus utiles. Mais j'étais aveuglé. Je voulais qu'Anik Vincent s'intéresse à moi.

Le jour des photos, je suis rentré à la maison content de m'être enfin débarrassé de Luc. J'avais besoin d'un peu de solitude, je voulais comprendre ce qui m'arrivait. Le chemin du retour avait été long et pénible. Il avait fallu que j'enfourche encore la Yamaha RD 350. Cette fois-ci, j'avais su me fermer la bouche et je n'avais pas avalé de mouches. Mais la moto s'était étouffée six ou sept fois. Tout cela m'avait empêché de réfléchir.

À la maison, ma mère était avec sa meilleure amie, sa belle-mère. C'est rare, je le sais. On dit qu'habituellement les belles-mères ne sont pas comme les deux doigts de la main avec leurs brus. Chez nous, c'est différent. Ma mère et ma grand-mère s'entendent à merveille. Malgré les vingt-cinq ans qui les séparent, elles sont de la même génération. N'allez pas croire que ma grand-mère soit avant-gardiste, c'est ma mère qui est quelque peu en retard. Pour cette raison et plusieurs autres, ma grand-mère l'a choisie comme épouse de son fils. Pauline Lacoste était une jeune fille tranquille qui avait aussi l'avantage d'être la fille d'un avocat. Pour ma grand-mère, qui a toujours les yeux pétillants quand il est question d'argent, de placements, d'héritage et tout le reste, c'était la candidate parfaite.

Elle, elle est bien placée pour parler d'héritage puisqu'elle est propriétaire du salon mortuaire situé à côté de chez nous. C'est le seul salon funéraire de Bon-Pasteur-des-Laurentides, ce grand et stupide village où rien ne se passe, qui devient un dortoir dès que tombe la noirceur. Mon père en est l'unique notaire. Nous sommes donc connus, très connus. Les gens font leur testament devant mon père, se font embaumer et exposer chez mon grand-père. Le commerce va bien. Ma mère reste à peu près la seule fille que mon père ait fréquentée. Il est tombé sur le bon numéro en partant. Je devrais me poser une autre question essentielle : la séduction a-t-elle quelque chose à voir avec l'hérédité ? Si oui, je ne suis pas choyé.

L'hérédité ! Mon grand-père paternel, Omer Gougeon, est embaumeur. Pourtant je hais les morts. Le même grand-père est alcoolique. Il a toujours sa bouteille de gin à la portée de la main. Moi, je déteste le gin. Ça coûte cher et ça me tombe sur le cœur. Mon grand-père a le nez qui va avec le gin.

Une mailloche comme on n'en voit pas souvent. J'aurais beau me débattre, me tenir loin des morts et du gin, j'ai déjà moi aussi une mailloche pas possible. Elle m'est venue avec mes treize ans. Et elle progresse. Mon grand-père est fier. On lui raconte que j'ai des airs de famille. C'est décourageant.

Marcel Gougeon, mon père, a l'air d'une brosse à dents qui n'aurait plus beaucoup de cheveux sur le caillou. Il est parfait. Il ressemble à sa mère. Il ne boit pas, ne fume pas. La perfection ! Il aimerait bien que je lui ressemble... mais, tout compte fait, j'aime mieux être de la race de grand-père. Si ce n'était pas de son nez. Le pire aussi, c'est que, quand quelque chose m'énerve, il me pousse un bouton sur le nez. Un gros bouton rouge, luisant. La lumière dans le milieu de la face.

Tout ça, pour vous donner une idée du climat dans lequel j'ai germé. Quand je suis revenu de la polyvalente, ma grand-mère était donc à la maison. Elle vient y passer toutes ses fins d'après-midi. Ma mère et elle choisissent ce

moment-là pour boire du café instan-
tané et décaféiné et pour papoter un
peu.

Ma mère m'a dit que j'arrivais tard.
Elle pensait que je n'allais que prendre
possession de ma case et montrer ma
tête au photographe. Je lui ai dit que
j'avais rencontré des gars et que nous
avions jasé un peu. Les pannes de moto,
je les ai gardées pour moi. Ça l'aurait
rendue malade.

Je me suis ensuite réfugié dans ma
chambre pour écouter Mozart, réfléchir
et planifier. Le cœur cabossé, la cervelle en bouillon de poulet, j'ai tenté de
reconstituer le nouveau visage d'Anik
Vincent. Son visage, son allure, ses
yeux, tout... j'étais en train de fondre
comme un popsicle sur le trottoir. Avant
d'enfiler mes écouteurs, j'ai entendu ma
mère dire qu'elle n'était pas fâchée que
l'école reprenne.

— Il a passé l'été à lire dans sa
chambre. Son seul copain, Luc Robert,
travaillait dans un autobus à patate
sur la 117. Ils se sont presque pas vus.
Oh ! je me plains pas ! Luc Robert, je

lui donnerais pas le Bon Dieu sans confession. Au moins, quand il va à l'école, il sort de la maison.

Ma grand-mère lui a répondu que grand-père trouvait que je lisais peut-être trop.

— J'aime mieux le voir le nez dans un livre que de l'imaginer en train de courir la galipote, a répliqué ma mère.

Ma grand-mère, je le sais, a approuvé de la tête. La galipote, pour elles, ce sont les filles.

— Les filles, y a rien de pire pour les études.

Voilà une phrase de ma grand-mère ! Ma mère était d'accord. Et moi, devant les poèmes de Rimbaud que je tenais à l'envers dans ma chambre, j'avais le mal de mer, le mal des filles, ce mal dont on ne revient jamais tout à fait.

Je me suis enfoui les oreilles dans mes écouteurs et, rapidement, comme une série de flashes, j'ai fait le bilan de notre passé. Je parle évidemment du passé d'Anik et moi. C'était maigre comme mes deux grandes jambes blanches quand je porte des shorts, mais ça restait quelque chose de palpable. De toute façon, j'aime assez dresser des bilans.

Quand nous étions en quatrième, cinquième et sixième année, je suis certain qu'elle me haïssait. C'est connu : tout le monde déteste les brillants qui répondent aux questions du prof avant les autres. Bien sûr, elle n'a jamais eu l'occasion de me l'avouer, mais elle m'aurait fait la grimace, si elle m'avait regardé. Est-ce qu'elle me déteste encore ?

Et, à la fin de notre sixième année, qui est-ce qui a eu la brillante idée d'inventer des olympiades à l'école ? La compétition, la compétition, toujours la compétition ! Je me souviens de cette longue course folle où j'ai sué pour me maintenir dans le peloton. J'avais un point au côté. Soudainement, une grande fille m'a dépassé. Une grande fille-à-lunettes avec un bandeau de tennis pour retenir ses cheveux. Elle semblait voler. Elle était passée à côté de moi et j'aurais pu jurer que j'étais à l'arrêt. C'est là que j'ai commencé à ralentir. Je n'étais pas le seul. Elle avait gagné comme une gazelle. Tous les gars avaient eu l'air d'une série de jambons incapables de mettre un pied devant l'autre. Le plus insultant, c'est qu'elle avait effectué un tour de piste de plus que les autres. Une athlète naturelle.

Déjà, elle faisait bonne figure dans le tennis organisé. L'été précédent, elle avait remporté le championnat dans la catégorie des moins de douze ans. Elle ne m'intéressait pas pour autant. Moi, j'ai toujours haï le sport en général et le tennis en particulier, malgré mon père qui aurait voulu que j'apprenne. Peut-être à cause de lui aussi. Il dit qu'il a été champion dans le temps. Champion de quoi ? Avec le temps, les vieux se trouvent toujours cinquante-six championnats. Moi, les champions me tombent sur la rate. De toute façon, les seuls domaines où mon père n'a pas été champion, ce sont ceux qu'il a soigneusement évités. Je devrais dire qu'il les a fuis.

Pour en revenir à Anik Vincent :

autant, à cette époque-là, elle se distinguait en éducation physique, autant je brillais dans la classe. J'étais une bolle, un chouchou tout disposé à répéter les explications des professeurs. Il suffit qu'on me raconte une histoire, elle se grave dans ma mémoire.

Admettons que je suis un peu moins brillant en ce qui concerne la mémoire visuelle. Je ne reconnais pas toujours les gens. Ma myopie est certainement responsable de la chose. Je suis un auditif, pas un visuel. Une fille change de coiffure ou enlève ses lunettes, je ne la reconnais plus. Et puis, l'allure garçonne d'Anik Vincent me laissait froid. Plus encore quand, au début de l'année dernière, elle nous est arrivée affublée de broches. D'accord, il fallait corriger ses longues dents qui avaient des tendances plutôt anarchiques, mais les broches ne donnent pas tout de suite une tête à la Brigitte Bardot ou à la Jane Fonda.

Luc, qui préfère les broches de bicycle, a dit : « C'est pas des broches qu'elle a, c'est des barbelés ! » Qui aurait bien pu rêver d'embrasser des barbelés ? Pas moi. L'an dernier, Anik Vincent aurait pu faire du strip-tease que j'aurais fermé les yeux. Je préférais mes livres, mes études, mes beaux bulletins, demeurer l'honneur de mes parents. Pourtant, en classe, je ne travaillais jamais en pensant à eux. Je lisais et j'étudiais parce que j'aimais ça. C'est cave, mais il faut de tout pour faire un monde. Moi, je suis comme je suis.

Les filles ne m'intéressaient pas. Il y en avait une qui s'intéressait à moi : Caroline Corbeil. La plus laide des plus laides. Je n'étais quand même pas pour tomber dans le panneau.

*   *   *

Loin des potinages de ma mère et de son « amie », j'aurais aimé, cet après-midi-là, connaître tous les secrets de la séduction. J'avais déjà lu, dans des revues spécialisées comme *Playboy* ou *Penthouse*, qu'il existe une foule de moyens et surtout un tas de livres sur le phénomène. Selon certaines sources, un peu d'hypnose permet au pire des crapauds de faire fondre les plus belles filles du monde. Il paraît qu'elles vous tombent dans les bras en prenant soin de dégrafer leur soutien-gorge pour vous faciliter la tâche.

Les seules choses que je connaissais, c'étaient les phrases toutes faites que j'avais lues dans les livres ou entendues dans les films. Mais je ne voulais pas passer pour un copieur en amour. J'ai donc décidé d'y aller plus rondement.

Le mardi suivant, 2 septembre, premier jour de vrais cours, Luc eut beau se lamenter, me supplier, me faire son sermon le plus agressif contre les autobus tape-culs, j'ai refusé son invitation. Je voulais prendre l'autobus scolaire. Je n'avais pas l'intention d'avaler une autre mouche ou de tomber en panne et d'arriver en retard à la polyvalente. Mais ce n'était pas tout. J'avais un plan derrière la tête.

Depuis notre quatrième année, Anik Vincent a toujours été dans la même classe que moi, mais aussi dans le même autobus scolaire. Elle habite à l'autre bout du village. Avant je m'en balançais royalement, ce jour-là, c'était devenu super-important.

L'autobus jaune avait le même chauffeur que l'année dernière, un grand spécialiste des farces plates. Comme je montais, il a presque hurlé :

— Salut, Woody !

Il m'a toujours appelé Woody. Pas parce qu'il trouve que je ressemble à Woody Allen — je suis certain qu'il ne le connaît même pas — mais parce qu'il dit que je ris comme Woody le Pic, ce qui est totalement faux. Je n'ai d'ailleurs jamais ri devant lui, pas plus ce matin-là que les autres fois.

Au milieu de l'autobus, il y avait un siège vide. Mon but : m'en accaparer et inviter Anik, quand elle monterait à son tour, à s'asseoir avec moi comme si de rien n'était. Mais je n'ai pas fait trois pas que j'ai été tiré par mon veston qui en a déjà vu d'autres. C'était Luc, l'étonnant Luc. Je lui ai demandé :

— Qu'est-ce que tu fais dans un autobus tape-cul ?

— Ma moto a jamais voulu partir.

— Tu t'es fait passer un citron !

Je lui ai dit cela sans enthousiasme, presque à regrets, en m'assoyant à ses côtés et en surveillant le chemin droit devant.

— C'est peut-être juste une poussière dans le carburateur.

Au coin où, par les années passées, Anik attendait l'autobus, il n'y avait personne. Je devrais plutôt dire seulement quelques nouveaux de première secondaire, encore tout excités d'aller à la polyvalente. Pas d'Anik.

J'ai donc subi le long monologue de Luc. Il avait décidé de réparer lui-même sa moto.

— J'ai passé la fin de semaine à travailler dessus. Je vais finir par trouver le bobo. Faut pas s'attendre à l'impossible quand t'achètes une moto de seconde main.

— Qu'est-ce que tu connais en mécanique ?

— Je vais m'acheter des livres. Je suis pas manchot.

— Et les outils ?

— Des outils aussi.

Et il a continué. Je hochais la tête à intervalles réguliers pour lui faire croire que je suivais tout ce qu'il racontait. Je n'écoutais plus. Je changeais mon plan, tout simplement.

Oui, mon plan de rechange voulait que, dès le premier cours, je me précipite dans la classe et prenne la place à côté d'Anik. Je n'aurais pas dû le faire. Premièrement, je suis certain que j'ai mal joué mon jeu et que j'ai eu l'air d'un énervé. Depuis toujours, je passe pour un somnambule pas trop rapide. Là, en me garrochant, j'ai eu l'air du dernier des imbéciles tout en étonnant tout le monde et Anik la première.

La deuxième étape de mon plan était de lui demander si elle avait déménagé puisqu'elle n'était pas montée dans l'autobus tape-cul. C'est Andréa Paradis qui m'a fourni la réponse sans que j'aie à poser ma question indiscrète. Elle a dit à Anik qu'elle trouvait que Patrick roulait trop vite avec sa voiture. Pas besoin de me faire un dessin. J'ai compris que Patrick Ferland, le costaud, le sportif, le champion, le beau Patrick Ferland dont le père est concessionnaire des produits GM à Bon-Pasteur... bref, le fendant de Patrick Ferland était le tchum de mon amour. Maintenant, je devais réviser mes plans pour vrai.

Pour ne pas avoir l'air d'écouter les potinages d'Andréa Paradis, j'ai regardé ailleurs. Luc s'était assis dans le fond de la classe et c'est Caroline Corbeil qui s'était faufilée à côté de moi. Elle me souriait de toutes ses dents. Elle avait quelques boutons fleuris sous un fond de teint en croûte. Son teint maladif habituel, quoi ! Patrick Ferland, Anik Vincent, Andréa Paradis et les autres auraient peut-être trouvé qu'il s'harmonisait bien avec le mien. Pas moi.

3
seul ou avec les autres

Anik Vincent avec Patrick Ferland !
J'étais ébranlé. La vie parfois n'a aucun
bon sens. J'ai eu un mal fou à m'en
remettre. Un samedi après-midi, à la
télé, j'ai vu un boxeur encaisser un
méchant coup de poing sur le museau.
De quoi assommer un bœuf ! Dès qu'il a
touché le tapis et malgré ses yeux qui
avaient l'air de fouiller le beurre d'une
autre planète, il a eu un sursaut. Son
instinct, en forme de ressort, l'a tout de
suite remis sur pied. Trois fois, il s'est

relevé en titubant. Trois fois, il a encaissé une taloche à vous décoiffer pour un mois. Une histoire de fou ! Du courage ? Je ne le sais pas.

Moi, j'étais découragé. Mon histoire d'amour — que je restais le seul à connaître — m'avait complètement sonné. Anik Vincent et Patrick Ferland ! Les voir, main dans la main, me jetait par terre. Je ne trouvais aucun ressort pour me relever. Je ne me suis pas réfugié dans les bras de Caroline Corbeil pour autant. J'ai dévoré les poésies complètes d'Émile Nelligan, un recueil de contes de Guy de Maupassant, *Le Grand Meaulnes, Le Matou* de Beauchemin et *La Grosse Femme* de Tremblay en écoutant mille fois le *Requiem* de Mozart dans ma chambre. Je n'étais plus l'ombre de moi-même.

Les semaines ont passé. Octobre est arrivé. J'avais le teint triste, ça allait très bien avec l'automne. Oh ! Certains matins, je trouvais encore l'énergie d'élaborer quelques plans. Dans l'autobus, je n'écoutais presque plus Luc qui, d'un jour à l'autre, découvrait un nouveau problème de moto. Un jour, son moteur s'est mis à couler... et puis, ce fut le tour de son oreille. Il s'est aperçu qu'il avait le lobe de l'oreille infecté. Ça changeait son mal de place. Je ne l'écoutais plus.

Invariablement, Anik ne montait jamais dans l'autobus tape-cul. Elle se rendait à l'école dans l'auto de Ferland. Un matin, j'eus l'idée de lui dire que... enfin, que j'éprouvais quelque chose... Et puis, j'ai changé d'avis. Il y avait toujours les autres autour de nous. Jamais moyen d'être seuls, d'échanger trois ou quatre phrases à l'abri des oreilles indiscrètes. Évidemment, je n'aurais pas parlé de mon amour à Luc. Des plans pour qu'il répète la chose. De quoi j'aurais eu l'air, moi ?

Tout aurait été tellement plus simple si nous avions pu nous rencontrer sur une île déserte... ou encore en attendant l'autobus dans le fin fond de la jungle d'un pays perdu. J'imagine le sable doux, le grand cocotier, Anik toute nue et moi, dernier fils du roi des singes, vêtu de mes seules lunettes qui me redescendent sur le nez dans cette chaleur impossible. Sur une île déserte, nous ne passerions pas le plus clair de notre temps à nous demander que faire de nos dix doigts. Oh ! Quand, de temps à autre, un bateau passerait, je ferais semblant de ne pas le voir. Et, comme Anik me regarderait toujours dans les yeux, elle ne verrait rien, elle non plus. Je lui taperais des clins d'œil infiniment sensuels, elle se frotterait sur les nombreux muscles qui couvriraient mes côtes et... Et nous pourrions nous aider. Pendant qu'elle ferait cuire le poisson, je ferais ses devoirs de mathémathiques. Pendant qu'elle changerait les draps de notre lit commun, je transcrirais au propre ses notes de biologie pour qu'elles se lisent plus facilement et... et je la regarderais faire son jogging ou jongler avec deux ou trois noix de coco.

— Aye ! Coco !

J'ouvre un œil. Je n'ai pas dormi de la nuit et j'ai les yeux comme des trous de suces.

— Aye ! Coco !

C'est Transpirator, le prof de maths,

qui s'adresse à moi. Il appelle tout le monde coco, une mauvaise manie qu'il a empruntée à un annonceur de radio. Il me demande si j'ai bien compris le problème. Je réponds oui, bien sûr. Je ne suis quand même pas pour lui avouer que, depuis septembre, les maths sont devenues du chinois pour moi. Je ne vois rien, je n'entends rien... je rêve à une île déserte où je n'aurais pas besoin d'expliquer les notions dont je n'ai que vaguement eu connaissance. Je balbutie, je bafouille...

— Va falloir que je change les piles de ma calculatrice, elles sont à terre.

— C'est toi qui es plus sur la Terre !

Transpirator ricane. Il est fier de me prendre en défaut. Les profs de son espèce ont parfois peur des élèves trop brillants, ce que j'étais sans aucune vantardise en troisième, deuxième, première secondaire et avant. J'ai passé mon été à lire, je suis jaune comme un citron. Et maintenant j'ai l'attitude du plus vide des cancres.

— Réveille, bonhomme, réveille, mon Coco !

J'aurais le goût de répliquer quelque chose de brillant, mais je n'ai aucune envie de l'affronter. Est-ce que je ferais rire les autres, au moins ? Je les divertirais un moment, ça c'est sûr. Et puis ça les ennuierait. Alors je me tais. Je regarde vers Luc, il semble surpris... puis, de l'autre côté, Anik est en train de faire un dessin absolument inqualifiable sur une feuille. Elle tue le temps.

C'est à cause de tout cela que j'aimerais être sur une île déserte. La mer et ses vagues élimineraient les profs, l'école, les copains et copines et surtout le grand Patrick Ferland. Ce n'est pas une sinécure que d'être amoureux parmi le troupeau. Prenez les cours et leurs profs. Prenons Transpirator, par exemple.

Le lundi matin, quand il entre dans la classe, Transpirator est encore acceptable. Il ne sent pas trop fort et ses cheveux ne sont pas encore trop gras. C'est au long des jours suivants que ça se gâche. On ne l'appelle pas Transpirator pour rien. Il enseigne les maths que je hais et doit conserver un tas de vieilles théories dans sa grosse tête dégarnie. Des théories de ma grand-mère. Celle, par exemple, qui raconte qu'un bon bain, une fois par semaine, ça suffit amplement. Moins que cela, c'est un manque de propreté. Plus, c'est du frottage audacieux.

Il y a l'autre théorie aussi qui veut que plus on se lave les cheveux, plus on les perd et plus ils deviennent gras... Ma grand-mère aime ça parler de son passé et des mille misères qu'ont dû traverser les ancêtres, ceux de sa génération en tout cas. Ma mère, qui n'est pourtant pas de la même génération, trouve toujours moyen d'ajouter quelque chose. Comme si nous étions responsable du haut niveau de vie qu'ils nous ont donné. Ramener le passé sur le tapis, c'est à mon avis une manière de me prouver que, nous les jeunes, nous ne sommes pas les nombrils du monde avec notre avenir. Parce que, pour elle, c'est évident : on a le nez planté dans notre avenir. Moi, des fois, je me demande si c'est pas une façon de nous étouffer.

Rien n'a d'allure. À la polyvalente, tout va tout croche, les cours, les profs, les étudiants, tout ! Luc me dit que c'est moi qui suis de travers, que tout est aussi normal que d'habitude. La seule chose, selon lui, qui ne tourne pas rond, c'est le moteur de sa moto. Il ne perd plus d'huile mais s'étouffe toujours autant. Luc ne pense qu'à sa moto.

Moi, j'ai eu un regain de vie quand il a fallu inventer les surnoms des profs. Je suis devenu l'oiseau moqueur, j'ai eu l'air brillant. Les profs me trouvent étonnamment moins brillant que par les années passées. S'ils savaient que je suis le grand responsable de la plupart de leurs surnoms, ils me respecteraient davantage.

Ainsi, en physique, Mme Dupras a tellement l'art de nous mélanger que je l'ai surnommée Blender ; Mister Zee, c'est Gerry Zabitowski, le prof d'anglais qui n'articule jamais ; le Bonhomme Irish est en éducation physique. Il s'appelle Gonthier et n'a rien d'irlandais sauf son petit pinch roux. Jacques Cartier nous enseigne l'histoire, c'est l'histoire du Québec et du Canada. Dans son cas, j'ai trouvé que c'était plus simple qu'il change de surnom à chaque cours. Il est donc à la fois Jacques Cartier, Champlain, Montcalm, Papineau, Chapais et les autres. C'est Moins-Cinq qui nous enseigne le français. Disons que là j'ai joué sur le physique parce que Mme Labelle a le cou un peu croche. Elle doit être une lointaine petite-fille de l'architecte qui a dessiné la tour de Pise. Bon. Les surnoms m'ont procuré une certaine notoriété. Les autres ont trouvé que j'avais l'imagination fertile.

J'avais cru oublier Anik, mais en la revoyant tous les jours mon attirance pour elle n'a fait qu'augmenter. Et puis mon imagination fertile a justement élaboré un nouveau plan. Dans un cours de français, Moins-Cinq a proposé un travail par équipes. Il fallait analyser le contenu d'une annonce publicitaire. Une lumière s'est allumée au-dessus de ma tête. Je venais de trouver le moyen de percer la barrière qui me séparait d'Anik. Je me suis tourné vers elle et je lui ai dit :

— On fait équipe.

Elle m'a répondu :

— O.K.

C'est comme si elle avait accepté que je l'embrasse, je n'en revenais pas. Mais ça ne faisait pas soixante secondes que je planais au-dessus de ce que Moins-Cinq racontait devant la classe que j'ai eu un frisson. Andréa Paradis a demandé à Anik :

— Est-ce qu'on fait le travail ensemble ?

J'attendais la réponse d'Anik. Elle s'est tournée vers Andréa pour lui chuchoter :

— Je vais travailler avec François.

Je me suis mis dans la peau d'un astronaute et j'ai senti un sourire me pousser en dessous du nez. Un grand sourire de clown béat. J'ai remercié le ciel d'avoir fait naître Patrick Ferland un an plus tôt que moi. C'est vrai que, les trois quarts du temps, je trouve agaçant que les filles préfèrent les gars de la classe supérieure. Mais jamais un gars de cinquième secondaire pourra faire un travail sur la publicité dans un cours de quatrième. J'ai dit youppi ! Yahvé est grand, Allah pareillement !

En sortant du cours, il fallait qu'Anik et moi élaborions une stratégie de travail. Je lui ai dit :

— Si on se rencontrait pour chercher une publicité dans des revues ? J'en ai une pile chez moi.

Elle m'a répondu :

— O.K., quand ?

J'ai dit :

— Pourquoi pas ce soir !

— C'est pas possible. Faut que j'aille m'entraîner. Et puis on a une semaine pour faire ce travail-là.

— D'accord ! Mais c'est pas mauvais de prendre un peu d'avance.

Elle a dit :

— Et si on regardait chacun de notre côté dans des revues ? On pourrait se rencontrer à la café, demain, entre les deux premiers cours, pour voir ce qu'on aurait trouvé de bon.

J'ai fait oui de la tête. L'énervement

me coupait le souffle, j'étais hypnotisé et je trouvais qu'elle marchait beaucoup trop rapidement vers le laboratoire de physique. Pourtant on avait l'air de suivre le rythme des autres. J'ai conclu :

— Demain, j'aurai quelque chose de bon.

* * *

Dans l'autobus, j'ai à peine répondu à Luc quand il m'a demandé si j'allais au superparty de l'Halloween. Je réfléchissais.

— Moi, je veux pas y aller tout seul. Je l'ai rassuré :

— T'en fais pas. Je vais y aller avec toi.

— C'est pas ça que je veux dire, le cave. Je veux dire que j'aimerais mieux y aller avec une fille. Toi, on dirait que tu penses jamais à ça, les filles.

J'aurais pu lui dire qu'il se trompait royalement. Mais je suis resté dans le vague. Si je m'étais défendu, il aurait pu avoir un soupçon. J'ai seulement sourcillé quand il m'a dit :

— Tu devrais y penser plus souvent parce qu'il y en a une qui s'intéresse pas mal à toi.

— À moi ?

— Oui. C'est Andréa Paradis qui
m'a dit ça.

— Andréa Paradis t'a parlé
d'Anik ?

J'étais éberlué.

— Anik ? Qu'est-ce qu'Anik vient
faire là-dedans ?

— Je sais pas. J'ai dit ça comme
ça.

— C'est Caroline Corbeil. Il serait
temps que tu t'aperçoives qu'elle fait
tout pour attirer ton attention.

J'étais à cent lieues de Caroline
Corbeil.

En entrant à la maison, j'ai ramassé
toutes les revues qui pouvaient traîner.
Je voulais trouver une publicité-choc...
peut-être une annonce qui pourrait nous
rapprocher, Anik et moi. J'ai tout épar-
pillé sur mon lit. J'ai fouillé, j'ai gratté.
J'ai même jeté un œil sur le *Hustler*, le
Penthouse et le *Playboy* que je me suis
procurés le mois dernier et que je cache

51

soigneusement entre mon matelas et mon sommier. Je savais bien que ce ne serait pas là-dedans que je trouverais ce qu'il faut pour un travail d'école. J'étais dans un autre monde.

— Tu réponds pas quand on t'appelle.

J'ai sursauté. C'est mon père qui, de la porte de ma chambre, me regardait.

— Je travaillais.

— Ta mère t'appelle pour le souper.

Je suis descendu dans la salle à manger. J'avais oublié que mon grand-père et ma grand-mère étaient invités. Omer m'a tapé un clin d'œil et je me suis demandé combien de gens, comme lui, peuvent mener deux vies de front : une au travail et l'autre à la maison. Omer, à l'œuvre, reste le plus sérieux des croque-morts. Quand il est en famille, ou du moins devant moi, il devient le plus haïssable des bons vivants.

— Et puis quand est-ce que tu vas nous présenter ta petite blonde ?

— Omer ! lui a reproché ma grand-mère comme s'il venait de faire une farce cochonne.

— Ben quoi ! Il serait temps qu'il en ait une.

Pour Omer, c'est là une grande inquiétude.

— Il n'y a rien qui presse, a dit ma mère.

Et mon père, qui somme toute a l'air tellement plus embaumeur que son père, a approuvé.

Puis toute la sainte Famille s'est mise à manger. Il y avait une bouteille de vin. Grand-père remplissait son verre beaucoup plus souvent que les autres. Mon père veillait à ce que je ne boive pas trop. Il a peur que je devienne alcoolique comme son propre père.

C'est vers onze heures, ce soir-là, que j'ai trouvé l'annonce qui nous convenait à Anik et moi et à tout ce qui mijotait entre nous... disons entre moi et elle.

*   *   *

« Coup de cœur ». C'est la marque de petite culotte que porte la fille aux seins nus. C'est un caleçon boxeur sur lequel un paysage hawaïen est dessiné, léger comme du rhum et audacieux comme des hanches qui se balancent. La fille est bronzée à souhait. Malgré ses bras croisés, on voit bien ses seins fermes et désirables même s'ils sont aussi bronzés que le reste de son corps. Il est vrai que sur les plages de France, les hauts de bikinis sont passés de mode. Sur l'image, il est écrit comme à la main : « Je lui ai tout piqué, même son caleçon. Kim. »

Voilà ! C'était l'annonce des caleçons « Coup de cœur » ! Le mien battait à culbuter pendant qu'Anik la regardait.

— Très bon !

Ouf ! Elle et moi, nous étions sur la même longueur d'ondes.

— Certaine que c'est pas trop osé ?

— Pourquoi ça le serait ?

Elle répondait exactement les mots que j'avais désiré entendre. Je lui ai montré la grande feuille sur laquelle j'avais noté ce qui pourrait être le plan de notre travail.

— Je vais regarder ça pendant le cours d'anglais, m'a-t-elle dit en prenant la feuille.

Pendant le cours de Mister Zee, je l'ai donc regardée du coin de l'œil. Au bout de dix minutes, elle s'est penchée vers moi. Sa main touchait mon épaule. J'ai même cru qu'elle pouvait avoir l'idée de me donner un baiser.

— C'est parfait !

J'étais aux oiseaux. J'ai chuchoté :

— Tu veux pas qu'on en discute, ce soir, par exemple ?

— Pas nécessaire ! C'est tout ce que je pense !

— En fin de semaine, on pourrait peut-être rédiger le texte.

— Tu es bien meilleur que moi là-dedans.

— Tu veux vraiment que je l'écrive pour nous deux.

— Je te fais confiance.

— Mais...

Elle m'a fait un clin d'œil.

— En fin de semaine, Patrick m'emmène à New York avec ses parents. C'est fantastique, non ? Je veux pas manquer ça.

— Euh...

— Tu me sauves la vie si tu le fais tout seul.

— D'accord.

Voilà comment au beau milieu du mois d'octobre, j'ai sauvé la vie d'Anik Vincent que j'aimais. Voilà comment elle a pu aller à New York. Et voilà encore comment, même si j'avais le cœur démantibulé, nous avons fait le meilleur travail de la classe. Moins-Cinq nous l'a dit :

— C'est audacieux ! Si vous pensiez me scandaliser, vous vous êtes trompés. J'ai beaucoup aimé.

Je regardais le bout de mes *runnings*. Anik m'a effleuré le mollet du bout du pied. Je n'osais pas la regarder. C'était un grand moment de complicité. Tous deux, nous avions été brillants... elle certainement plus que moi.

4
la machine à insomnies

Je ne dors plus. Enfin presque pas. Cela me permet d'écouter de la musique et d'écrire cette histoire. Elle me servira de travail de l'année. Moins-Cinq nous a dit que nous devrions écrire une nouvelle. Je prends de l'avance. J'aimerais que ce soit une histoire d'amour qui se tienne debout et qui ne finisse pas mal. Jusqu'à maintenant, ça ressemble plutôt à une tentative d'histoire d'amour. Et l'amour, je commence à croire que c'est une machine à insomnies.

Chopin ne s'en plaint pas. Ses *Nocturnes* m'inspirent. Il a eu des histoires d'amour, lui aussi. Je ne sais pas comment il les aurait vécues s'il avait dû étudier à une polyvalente et s'il était tombé amoureux d'une fille chez qui le tennis compte plus que la poésie.

Selon Luc, pour impressionner les filles, il existe deux grands filons : avoir son permis de conduire et savoir danser. Luc se croit bien placé pour parler. En tous cas, son opinion sur les relations entre les personnes de sexe opposé a pris un poids extraordinaire depuis qu'il sort avec Andréa Paradis. Le samedi soir où je peinais sur le travail que je faisais en équipe avec Anik, Luc est allé au cinéma, à Sainte-Angèle. Par hasard, il y a rencontré Andréa. Elle était avec Stéphanie Lachapelle et Caroline Corbeil. Après le film, Luc s'est joint aux filles. Ils ont mangé une patate chez Constantineau, le snack-bar qui se trouve en diagonale du cinéma. Là, il paraît que Caroline s'est informée de moi. Pourquoi Luc prend-il plaisir à me rapporter les propos de Caroline

Corbeil ? Au moment de quitter le snack-bar, il a eu le culot de proposer à Andréa :

— Je suis en moto. Veux-tu que j'aille te reconduire ?

— J'aimerais ça, mais mon père s'en vient nous chercher.

Il était embêté, mais il n'a pas abandonné.

— Si j'allais te chercher demain, viendrais-tu faire un tour ?

— Ça marche !

Entre Luc et Andréa, ça s'est amorcé ainsi. Le lendemain, par une espèce de miracle, la Yamaha RD 350 de Luc n'est pas tombée en panne. Ils ont roulé dans les montagnes. Andréa a accepté de porter le casque de football. Luc lui a promis que, dès le printemps prochain, il lui achèterait un vrai casque de moto. Déjà, ils échangeaient des promesses. Luc m'a aussi raconté qu'ils se sont joyeusement embrassés. Il n'a pas révélé plus de détails que le « joyeusement » en question, mais il avait des yeux qui voulaient tout dire. Il n'y a personne comme Luc pour exagérer une situation. Depuis, ses amours ont l'air de fonctionner beaucoup mieux que sa Yamaha, dont il a fallu remplacer le carburateur qui était plein de rouille.

— Une moto presque neuve, s'est lamenté le grand Luc.

De mon côté, en ce qui concerne le permis de conduire, il faudra que j'attende en janvier. J'imagine déjà tout ce que je serai obligé de brasser pour gagner la signature de mon père.

Côté danse, c'est autre chose. Pas besoin de permis. Mais il faut un certain goût, un certain talent. Et je n'ai jamais compris le grand plaisir que chacun éprouve à se secouer la crinière et à se déhancher à qui mieux mieux. Il me semble que j'aurais eu plus de chance à l'époque des tangos, des fox-trot et des cha-cha-cha.

— Tu es complètement rétro, me lance Luc Robert.

— Je le sais. Mais je n'ai jamais pu vibrer sur les chansons de Michael Jackson ou de Bryan Adams.

— Là, t'es plus rétro, t'es préhistorique !

C'est Andréa qui l'a trouvée, celle-là. Évidemment, pour l'encourager à faire d'autres blagues à mes dépens, Luc rit comme aux meilleures répliques de Ding et Dong.

Toujours accrochés l'un à l'autre, Andréa et Luc s'en promettent de belles pour le party de l'Halloween.

— En quoi tu vas te déguiser ? me demande Caroline Corbeil.

Je fais la grimace.

— Je viendrai pas.

— Pourquoi ? ajoute-t-elle. On aurait du *fun*.

Ses airs conjuguent tellement de sous-entendus que j'en frissonne. Je secoue la tête, chiale un peu et avoue que je ne suis pas très à mon aise dans des partys comme celui-là.

— Viens donc ! On va te déniaiser !

C'est le coup de grâce. Anik Vincent a beau avoir le bras de Patrick Ferland autour du cou, elle vient de me secouer profondément. Toute la mécanique des grands bouleversements se met en branle. Je commence à hésiter, je dis que je verrai... et j'entre dans la ronde des costumes. Nous sommes sept ou huit à fouiller dans notre imagination. Il est déjà clair que Patrick Ferland va se déguiser en Superman. Il a déjà réservé le costume chez un costumier de Montréal. Luc va être un gourou ou un moine tibétain, Andréa penche du côté de Diane Dufresne en rose. Moi, je laisse planer le mystère. Caroline Corbeil dit qu'elle veut garder le secret, elle aussi. À mon avis, elle devrait se déguiser en coquerelle.

*   *   *

Omer aurait voulu que je sois curé. Il était prêt à asticoter son ami Gilles Fortin, le curé de la paroisse avec lequel il joue souvent aux cartes — et prend un verre mais ça faut pas en parler —, pour qu'il me prête une de ses anciennes soutanes. Grand-mère, comme mon père et ma mère, s'est vivement opposée à l'idée. C'était un manque de respect pour la religion.

— Mais Gilles est à la mode, disait Omer.

— Trop à la mode des fois, trancha grand-mère.

J'avais à peine eu le malheur de dire que je cherchais en quoi me déguiser pour ce damné party de l'Halloween que c'était devenu un problème de famille. Cela a quand même permis à ma mère de faire un de ses rares gags.

— Pourquoi tu mets pas le nouveau caleçon que tu as acheté?

J'ai fait :

— Ah! maman!

— Quel caleçon? s'est informé le curieux d'Omer.

— Il est à la mode, mon François.

Et là, malgré mes protestations, elle est allée chercher mes petites culottes « Coup de cœur ». Sur fond rose, des drôles d'éléphants faisaient la parade en se tenant par la queue. Mon père s'est étonné.

— Tu vas porter ça, toi?

— Bien oui. Pour le fun!

— J'en porterais bien, moi aussi, si j'avais ton âge. Paraît que les petites filles sont folles de ces culottes-là et de...

Grand-mère a poussé Omer du coude et il s'est tu. Je n'étais vraiment pas sûr d'aller à ce party d'Halloween. Mais grand-père y tenait. On aurait dit que c'est lui qui s'apprêtait à côtoyer des filles. Finalement, j'ai dit que je me déguisais en clochard. Cela a réglé l'affaire. Comme ça, je ne me moquerais de personne de respectable.

*   *   *

Ce vendredi-là, il pleuvait à boire debout, il y avait de la brume. Un vrai temps d'automne, de cimetière et de mois des morts ! Un vrai temps d'Halloween !

Ce vendredi-là, j'ai vécu la peur de ma vie.

Oh ! Ce n'était pas dû à la façon de conduire de Luc. Il s'amusait à faire crisser les pneus de l'auto de sa mère pour impressionner Andréa qui était presque assise sur ses genoux. Moi, derrière, j'étais le troisième larron. De temps à autre, il me tapait un clin d'œil complice. Je me demandais si Luc n'avait pas besoin de moi comme témoin de ses amours. Tout seul, les choses auraient pu lui sembler moins bien.

La peur de ma vie, je ne l'ai pas vécue non plus au moment où nous sommes entrés dans le gymnase décoré pour la circonstance. Les citrouilles avaient des places de choix, les squelettes dansaient et s'entrechoquaient avec soin et les lumières clignotaient pour inventer des sensations qui n'arrivaient pas à la cheville des films d'horreur.

Non, la peur de ma vie est venue plus tard.

Cela devait faire quelques heures que nous marinions dans cette semi-obscurité. J'avais dansé beaucoup et j'étais en sueur. J'aurais dû me déguiser en Romain comme le brillant Pierre Jodoin. Lui, au moins, il avait de l'air. Moi, je crevais. Pourquoi les clochards portent-ils des manteaux d'hiver ?

J'avais dansé beaucoup et j'y avais pris goût. Je m'étais aperçu que l'on peut avoir du plaisir à se trémousser sur les musiques — ce qui est un bien grand mot — des Four Angels, un orchestre typiquement québécois composé de deux gars de cinquième et de deux diplômés de l'an passé. Et la piste de danse restait le meilleur endroit pour voir Anik. Elle dansait presque toujours. Elle avait coupé ses cheveux. Ils étaient maintenant noirs avec quelques mèches rouges. Moi, j'étais dans les pommes. Mais ce n'est pas tout.

Je m'étais rendu compte que, si je restais assis à la table, je ne pouvais pas la voir puisqu'elle se mêlait à tous ces corps fantomatiques et sautillants. Et puis je devais entretenir la conversation avec Caroline Corbeil qui avait eu l'idée géniale de se déguiser en Chaperon rouge. Elle avait le costume à capuchon rouge, les lèvres rouges et du rouge sur les joues. Avec l'éclairage orange, je n'y voyais que du feu. Elle savait que je lisais beaucoup. Elle tenait absolument à me parler littérature. Le pire, c'est qu'elle est assez brillante. Elle lit beaucoup, elle aussi. En dansant, même si elle me suivait sur la piste, j'évitais les conversations.

Comme n'importe qui, il a bien fallu que j'aille à la toilette. C'est là que j'ai surpris Blondin, un cave de cinquième secondaire. Il fumait un joint avec d'autres de son espèce. Il m'a dit, l'air hautain :

— Toi, Woody, t'aimes mieux pas toucher à ça, hein ?

Moi, le spécialiste des surnoms, j'en avais un qui commençait à me suivre. C'est certainement pour ça que j'ai répondu :

— Pourquoi pas ? C'est du bon stock au moins ?

Blondin, qui ne voulait rien perdre de la bouffée qu'il avait dans les poumons, s'est contenté de me passer le joint.

Le premier coup, je me suis étouffé. Et puis, l'habitude s'est installée assez rapidement, si bien que j'ai pu pomper quelques coups quand venait mon tour. Blondin me regardait en souriant comme si j'étais devenu son frère de sang, un grand complice. Je me suis retiré en envoyant la main à la petite bande. J'avais envie d'éclater de fou rire. Je suis allé rejoindre les fantômes de la salle.

À la table, Patrick Ferland et Anik se tripotaient les mains, Andréa et Luc essayaient de les imiter et Caroline Corbeil n'attendait que moi. Le ventre me sautait. C'était incontrôlable. J'ai pris place à côté d'elle. Je pouvais deviner tout ce que les autres avaient dans la tête, j'avais le sentiment de me promener, de voler dans leurs pensées. Et puis il y a eu un slow. Ils se sont levés comme des automates qui ont envie de se frotter les uns aux autres. Caroline m'a pris le bras. Elle était plus rouge que tout à l'heure.

— Tu viens ?

— Pourquoi pas ?

Je me suis levé. J'étais mou comme de la guenille. Nous nous sommes serrés l'un contre l'autre. Caroline Corbeil avait une poigne du tonnerre. Je me suis laissé mener. La musique m'effleurait à peine, elle me portait délicatement... surtout ce saxophone qui faussait presque avec chaleur.

Soudain, j'ai découvert que Caroline Corbeil avait aussi des seins. Je n'avais jamais remarqué la chose. Ils étaient en train de me perforer l'estomac. J'ai voulu prouver que j'avais de la poigne, moi aussi. Je l'ai serrée fort... pour faire comme les autres. Le saxo m'encourageait. J'ai donc serré ce Chaperon rouge qui répondait à chacune de mes pressions. Au bout d'un moment, je me suis rendu compte que nous nous embrassions à pleine bouche. Je me serais cru dans un film. J'avais les yeux fermés. Je les gardais fermés. Je n'aurais jamais dû les ouvrir. Parce qu'en les ouvrant, mon regard a croisé celui d'Anik Vincent. Elle nous regardait. Je suis certain qu'elle savait que je profitais de la situation, que j'embrassais Caroline parce que je ne pouvais pas l'embrasser, elle.

Tout devenait soudainement très compliqué. Anik, certainement pour me remettre la monnaie de ma pièce, a attiré la tête de Patrick Ferland vers elle et elle l'a embrassé. C'est alors que j'ai eu peur, très peur. J'ai eu le cœur à l'envers, comme une nausée... J'étais certain d'avoir perdu Anik Vincent à jamais.

Les yeux fermés, Caroline Corbeil n'a rien vu et certainement rien compris quand j'ai décidé, comme ça au beau milieu de la danse, de retourner à la table. Ensuite, j'ai couru aux toilettes. J'avais vraiment mal au cœur.

Pendant au moins les deux premières semaines du mois de novembre, je n'ai pas osé regarder Caroline. J'avais trop peur qu'elle me demande ce qui m'avait pris, en ce soir de l'Halloween, de m'éclipser au milieu d'un slow très chaud, de disparaître dans les toilettes et de ne plus jamais revenir.

*   *   *

Luc me regarde comme si je débarquais de Mars ou de Vénus. Si je me mets dans ses chaussures, je comprends. Je viens de lui dire que j'aimerais apprendre à jouer au tennis.

— D'habitude, c'est au début de l'été que la fièvre du tennis attrape quelqu'un, pas au milieu de novembre.

Je fais l'innocent.

— Et pourquoi ça serait mieux l'été ?

— Parce que ça coûte moins cher, innocent ! L'été, en prenant un abonnement de saison, tu peux jouer tant que tu veux sur les terrains du village. L'automne, il faut aller jouer au tennis intérieur de Sainte-Angèle et ça coûte un bras.

Luc Robert, il faut le dire, n'a plus que trois sujets à la bouche : les filles, plus précisément Andréa Paradis, l'argent et sa moto. Trois sujets qui se complètent et forment le pire cercle vicieux qu'il ait eu à affronter dans sa vie.

Premièrement, pour rouler en moto, ça prend des sous. Surtout sur une moto comme celle qu'il s'est fait refiler. Au fond, il n'a plus un sou en poche. Même chose quand on sort avec une fille, l'argent est nécessaire. Bien sûr, Andréa paie ses dépenses, mais il faut quand même qu'un gars trouve des endroits pour se voir un peu tranquille. Et ça, que ce soit le cinéma de Sainte-Angèle, le snack-bar chez Constantineau ou n'importe où ailleurs, il faut toujours débourser quelque chose. Alors Luc a hâte que l'hiver commence. Il va être moniteur de ski au mont Bon-Pasteur. Il ne pourra plus rouler en moto, mais

71

je le console en lui disant que ce sera juste une économie. Pour le tennis, c'est autre chose. Il n'a jamais été champion.

— Je peux pas. Commence par suivre un cours.

— Bien non. Viens. Toi, tu en as déjà fait. Tu vas pouvoir me montrer la base.

Je ne sais pas si c'est moi qui inventais les mille et un piège du labyrinthe de l'amour, mais je sais que, cette fois-là, mon plan était simple. En apprenant ainsi les bases du tennis, je pourrais ensuite demander à Anik de m'enseigner le reste sans avoir l'air trop raisin. C'est ainsi que j'ai payé une heure de tennis à Luc qui chialait d'avoir dû se lever si tôt un samedi matin. Nous n'étions pas membres du club de Sainte-Angèle. Alors, comme me l'avait dit Luc, ça coûtait vraiment un bras. Par économie, mon père m'a prêté sa raquette en me faisant des tas de recommandations. Il n'avait pas touché cette raquette-là depuis son adolescence. Quand j'ai vu les raquettes de maintenant, j'ai compris qu'elle pesait une tonne.

Il était huit heures, ce samedi-là. Luc avait encore de la cire au coin des yeux et certainement son haleine du matin même si je ne lui ai pas parlé dans le nez pour vérifier la chose.

Pendant les dix premières minutes, nous avons tenté d'échanger quelques balles qui passaient parfois le filet et, d'autres fois, se perdaient dans l'épaisse toile du fond... tout cela quand elles n'atteignaient pas carrément le plafond ou ne se retrouvaient pas sur le terrain d'à côté. Et c'est justement sur ce terrain que Patrick Ferland est venu prendre place en face d'Anik. Il fallait qu'Anik s'entraîne. J'aurais dû m'informer de l'heure de son entraînement, cela m'aurait permis de ne pas trop me ridiculiser devant Ferland, qui s'est tout de suite intéressé à ma raquette.

— Comment tu fais pour jouer avec un madrier comme ça ?

— C'est avec ça que Rod Laver jouait, lui ai-je répondu assez fier de mes connaissances encyclopédiques.

— Rod Laver ? C'est qui celui-là ?

— Le plus grand joueur de l'histoire.

— Il devait avoir un maudit bras.

— Il en avait un.

— Faut que j'essaye ça.

Et, comme l'expert qu'il prétendait être, il m'a arraché la raquette de mon père des mains et m'a refilé la sienne.

— Tiens ! Essaye celle-là ! Ça, c'est de la raquette !

Je n'aurais jamais cru que ma raquette pouvait échanger des balles avec une telle vigueur. Dans mes mains, même si Luc m'envoyait des balles hautes et lentes, elle tournait toujours. Et voilà qu'Anik frappait des balles que j'avais du mal à suivre des yeux. Et Patrick Ferland les lui retournait en grimaçant. Essoufflé, il m'a dit à un certain moment :

— Avec ça, tu vas attraper un tennis-elbow.

Je n'ai jamais pu attraper le tennis-elbow en question. Moins d'une minute plus tard, le fond de la raquette de mon père éclatait. J'aurais pu jurer que Patrick venait d'atteindre ce qu'il visait depuis le début. Il m'a remis la défunte avec un sourire très fier.

— C'était du vrai nerf qu'ils posaient dans ce temps-là. Mais il était trop sec, là. À ta place, je m'achèterais une autre raquette.

Pour terminer l'heure, je n'avais plus qu'une raquette défoncée. Anik a eu la générosité de me prêter une des siennes. J'aurais pu passer mon temps à en caresser le manche qu'elle avait déjà tenu mais Luc me bombardait en gueulant. Il n'était plus capable de m'envoyer une balle facile à retourner. Comme professeur, Luc, c'est zéro.

À la fin de l'heure, nous nous sommes retrouvés dans les douches. Patrick Ferland était avec nous. Il prenait un plaisir féroce à se promener tout nu. Luc et moi, nous avons dû en faire autant. Comme je n'ai pas l'habitude de la chose, j'ai eu l'impression que mon pénis cherchait à disparaître à l'intérieur de mon corps. Je n'imaginais pas qu'il pouvait parfois devenir aussi minuscule. Par chance, Patrick Ferland n'a formulé aucune remarque. Il était trop préoccupé à parler tennis. Il parlait tout seul. Moi, j'étais heureux que les douches ne soient pas mixtes. Anik n'aurait pas manqué de nous comparer en costume d'Adam. J'aurais été gêné, j'aurais fondu.

Finalement, Luc a peut-être raison. Pour impressionner les filles, il faut certainement savoir danser et avoir son permis de conduire. Mais, quand on est bon dans un sport, ça ne nuit pas.

— Non, ça ne nuit pas, me répond Luc en toussotant avec autant de talent que le moteur de sa moto.

5

playboy, penthouse, hustler et joyeux noël

Ma mère me prend pour un saint, une sorte de héros d'une autre époque. Elle n'a jamais hésité à mettre mes mauvais coups sur le dos de mes amis. Elle n'apprécie pas Luc. Parce qu'il a un an de plus que moi, elle l'accuse facilement de m'entraîner dans toutes les aventures malhonnêtes. Luc n'a pas toujours l'air d'un ange, c'est vrai. Souvent même, il se donne l'air d'un Hell's Angel, ce qui, tout le monde le sait, est le contraire d'un ange. Je n'ose pas lui dire qu'il a l'air fou dans ces moments-là. Je m'en ferais un ennemi mortel et il n'est pas mauvais de conserver ses amis... surtout en période de crise.

Parce que je vis une vraie crise. C'est ma mère qui me l'a dit. Et une crise qui arrive en plein dans le temps des fêtes, ce qui est encore pire dans son esprit. Le temps des fêtes, période d'arrêt du quotidien, de courses, de panique et de réjouissances. Il n'y avait qu'à voir les grands magasins quand elle m'a entraîné au Carrefour de Saint-Jérôme pour m'acheter un manteau d'hiver. J'aurais aimé me débrouiller tout seul, elle n'a jamais voulu. Finalement, nous n'avons rien trouvé de beau, aux yeux de ma mère, dans les magasins de Saint-Jérôme et il a fallu descendre jusqu'à Laval, puis Montréal. Tout ça dans la première tempête de décembre, avec ma mère qui ne conduit presque jamais et qui trouvait plus prudent de s'écraser le nez contre le pare-brise et de se coucher sur son volant. Nous avancions à la vitesse tortueuse des aventuriers de la glace.

Au bout du compte, nous avons trouvé un manteau que je déteste... en revenant à Saint-Jérôme. Malgré mes protestations, je serai chaudement et chiquement vêtu, cet hiver. Je me suis intérieurement juré que je ne le porterais jamais et que c'était la dernière fois que ma mère m'accompagnait pour acheter mes vêtements.

— La prochaine fois, me suis-je dit, j'irai magasiner avec ma blonde.

J'avais Anik Vincent dans la tête. Si j'avais parlé tout haut, la surprise de ma mère aurait peut-être été moins grande quand elle a découvert « ma crise ». Parce que le lundi 8 décembre, en plein grand ménage des fêtes, ma sainteté a pris une débarque de taille. Mon piédestal s'est désagrégé, j'ai perdu des plumes, mes ailes, mon auréole.

Il paraît que, tous les trois mois, il faut retourner son matelas. Ma mère a toujours été très stricte là-dessus. Et c'est comme ça qu'elle a découvert mon début de collection. Pas grand-chose, au fond. Trois numéros de *Hustler*, trois *Penthouse* et deux *Playboy*. Je revenais de la polyvalente quand ils m'ont sauté dans la figure. Ma mère les avait étalés sur la table de la cuisine. Elle savait que je passerais par là chercher une pointe de fromage et une pomme.

La mise en scène était parfaite et ma sainte mère avait le regard de feu des athlètes agressifs et les joues rouges des superscandalisées. Elle m'a demandé, la voix criarde, d'où ces cochonneries venaient. Si j'avais accusé Luc, Pierre Jodoin ou un autre, j'étais sauvé. Mais j'ai prouvé que, même si je n'étais pas très fier de moi, j'avais une colonne vertébrale.

— Non, maman, j'ai dit héroïquement, c'est moi qui ai acheté ces revues-là.

— Mais c'est de la pornographie...

Montée sur ses grands chevaux, ma mère n'arrivait plus à articuler tout ce qu'elle pensait. Les mots se bousculaient dans sa bouche, les idées cherchaient la sortie, se piétinaient. Moi, mon âme, mon corps, mon esprit, nous prenions toutes les formes de l'apocalypse. J'étais un funambule au-dessus des flammes de l'enfer qui léchaient le fil sur lequel j'évoluais maladroitement. J'étais une caricature du diable. J'étais un autre monstre de l'époque. J'étais un vicieux, un as de la mauvaise pensée.

J'encaissais. Je regardais mes mains qui ne savaient plus où se cacher. Je cherchais mon souffle. Et je ne disais rien. J'ai choisi de ne rien dire. Comment lui expliquer ? Comment lui dire que je cherchais à savoir, à connaître ? Que tout cela n'était qu'une manière d'apprendre les signes que chacun peut faire quand il espère trouver de la douceur. De la douceur de crise, si on veut. Évidemment, je m'étais senti coupable de regarder ces revues. Aussi j'avais trouvé des phrases pour me justifier. Je ne les trouvais pas si ridicules, mais je ne pouvais pas les répéter à ma mère. J'étais bloqué, gelé.

En feuilletant les revues pleines de filles nues, ouvertes, offertes, j'avais essayé d'imaginer à laquelle de ces filles Anik pouvait ressembler quand elle était toute nue. Je n'étais jamais parvenu à fixer mon choix. Anik n'a pas les yeux de ces filles qui se tordent le corps pour se donner des allures aguichantes. Cette fille-là — je parle d'Anik — je la vois partout. Elle me rend malade. Je lui fais l'amour à travers les filles de papier des revues. Je ne suis pas toujours heureux de mes « pratiques solitaires », comme les appelait le curé Fortin quand ses confessions devenaient indiscrètes, mais je me dis que c'est en attendant...

Et puis en attendant aussi, les revues étaient étalées sur la table et ma mère frémissait... Elle parlait, parlait, criait, hurlait. Un moulin à paroles !

— Tu as pas acheté ces cochonneries-là chez Picard, toujours ?

Picard, c'est le marchand de journaux et de tabac, le nombril du village, le haut-lieu des commérages.

— Bien oui. Il y en a plein les tablettes.

— Mais qu'est-ce que le village va penser de nous ?

Elle était marquée au fer rouge. Elle s'imaginait que, depuis trois mois, toutes les grandes gueules du village la montrait du doigt parce qu'elle était la mère d'un adolescent lubrique, pervers et perdu, celui qui se mirait dans les photos de filles nues. Bien sûr, je n'aurais jamais révélé que le bonhomme Picard et sa femme ne savaient pas que je m'intéressais à ce genre de littérature. J'avais piqué les revues.

Pendant une bonne semaine, des remords m'ont tenaillé, pas d'avoir regardé les images mais d'avoir piqué les revues. Parce que l'histoire des *Hustler-Penthouse-Playboy* a fait le tour de la famille immédiate. Mon père a pris son regard le plus scandalisé et m'a longuement dévisagé. Ma grand-mère m'a fait un discours presque identique à celui de ma mère. Je vous l'ai dit, elles sont taillées sur le même modèle. Devant la famille, Omer a esquissé un petit air désespéré. C'était de la frime. Presque sans transition, il a reproché à ma mère d'avoir détruit les revues, puis il m'a fait un clin d'œil complice. Voilà pourquoi j'ai eu des remords. Je me demandais si, dans un élan de fierté, il n'irait pas, un de ces quatre matins, potiner avec M. Picard... Omer était parfaitement capable d'amener le sujet sur le tapis et parler des revues que j'avais achetées. Je vois d'ici la surprise de Picard et le vrai scandale. Parce que, à mes yeux, piquer une revue de cul est bien plus grave que de regarder des filles toutes nues.

*   *   *

Le sexe, le sexe, toujours le sexe ! Je suis un peu obsédé, j'en conviens. Obsédé, mais pas tellement différent des autres. Ma mère aurait été beaucoup plus scandalisée si elle s'était trouvée dans les pantoufles de Mme Corbeil, deux semaines plus tôt.

Pour se faire des amis, Caroline Corbeil avait invité un paquet de gars et de filles de la classe à une longue soirée de vidéos. On disait : la nuit des vidéos. Trois films d'horreur enchaînés les uns aux autres. Elle avait loué trois films noirs et sanglants. Luc avait eu une idée géniale.

De son côté, il avait loué un film porno. Il m'en avait parlé. Je ne trouvais pas la blague particulièrement subtile, mais j'avais le goût de m'amuser et de voir. Les revues, c'est beau, mais pas toujours satisfaisant.

Nous étions neuf ou dix dans le sous-sol des Corbeil. Il y avait Andréa, Luc, Anik, Patrick Ferland et d'autres. Luc avait habilement remplacé la cassette du deuxième film par la sienne.

Après le premier film, Anik s'est levée. Quelqu'un qui s'entraîne tôt, le samedi matin, ne peut pas se permettre de passer la nuit blanche. À mon grand désespoir, Patrick est allé la reconduire. Nous nous sommes retrouvés sans eux. Moi, je me sentais surtout sans elle. Luc avait un mal fou à garder son sérieux. Il a placé lui-même le film dans l'appareil et c'est parti.

Une fille, à Paris, reçoit sa cousine de la campagne. Avec son chum, elle va chercher ladite cousine à la gare. Ils mangent et se couchent presque aussitôt. Tout le monde, à part Luc et moi, attendaient le meurtre, l'arrivée du monstre, le sang et l'horreur... mais la fille de Paris et son chum se sont mis à se caresser, à se déshabiller et à faire l'amour... Dans l'autre chambre, la cousine, qui entendait tout, s'est mise à se tortiller... Caroline a crié à faire redresser les cheveux sur la tête de n'importe qui :

— Mais qu'est-ce que c'est ça ?

Sa mère, en déshabillé, pantoufles aux pieds et curieuse comme tout, a choisi ce moment-là pour venir voir ce que nous regardions. C'est là que l'horreur a vraiment commencé. Elle a hurlé comme si la tête d'un monstre venait d'apparaître dans la fenêtre de la cave. Son mari, qui s'était endormi devant la télévision du salon, s'est amené en descendant les marches quatre par quatre. En un temps deux mouvements, nous avons été foutus à la porte. Caroline braillait. Luc a à peine eu le temps de récupérer son film.

Le lundi suivant, Caroline Corbeil était plus laide que jamais. Ses parents l'avaient punie et elle ne pourrait plus sortir jusqu'aux fêtes. Elle cherchait le coupable de ce tour pendable.

— C'est pas toi, au moins ?

J'ai fait l'innocent.

— Si c'était moi, je te le dirais !

— Je l'espère.

Je suis certain qu'elle ne me croyait pas. Et puis, elle avait perdu beaucoup d'admiration pour moi.

Quand elle a raconté la catastrophe à Anik, je l'ai entendu dire :

— Woody dit que c'est pas lui.

Anik a répondu :

— Woody ferait jamais une affaire comme ça.

C'était consolant. J'avais quand même de la peine. Anik aussi m'appelait Woody !

*   *   *

Il neige. Le village reprend vie. Les touristes se remettent à fouiner partout, à envahir les restaurants et à congestionner la rue Principale.

Il neige. Les Centres de ski sont maintenant en opérations. Ils vont pouvoir ouvrir toutes leurs pistes, pas seulement celles qui sont déjà recouvertes de neige artificielle.

Il neige. Il y a trois sortes de touristes :

ceux qui, pour une ou deux journées, viennent profiter du grand air et du vrai blanc des pentes ; ceux qui louent des chalets pour la saison ; et ceux qui habitent Bon-Pasteur et qui travaillent enfin. Comme beaucoup de villages des Laurentides, Bon-Pasteur connaît deux longues saisons mortes où le chômage sévit comme les mouches noires du printemps et le ciel lourd de l'automne. L'été, son soleil attire les gens. L'hiver, c'est le ski. L'argent se met alors à circuler. Les commerçants, les restaurateurs, bref un peu tout le monde semble plus heureux. Ce n'est le cas ni d'Omer ni de mon père. Ce ne sont pas les touristes qui viennent mourir, se faire embaumer, exposer et enterrer dans le Nord ; ce ne sont pas les mêmes touristes qui viennent y faire leur testament. Mon père, d'ailleurs, en bon notaire qu'il est, préfère le printemps boueux et l'automne frisquet, parce que ce sont là les grands moments de vente de maisons. Et les acheteurs viennent signer les contrats de vente devant lui.

En tout cas, ni l'un ni l'autre ne se

plaint. Tous les deux font assez d'argent pour passer l'hiver honorablement. À la messe de minuit, nous sommes toujours dans les premiers bancs. Nous pouvons voir la crèche du coin de l'œil. Un peu plus et nous nous croirions en un autre temps. L'église est pleine et je suis certain que, dans la lumière, un tas de gens s'imaginent à l'époque où les villageois et ceux des terres des alentours venaient à la messe de minuit en carrioles. C'était une autre époque, celle du folklore. Le tourisme fonctionne bien quand il y a du folklore dans l'air.

« Minuit chrétien, c'est l'heure solennelle... »

Gilles Fortin, le curé et ami de mon grand-père, avait les yeux brillants dans ses plus beaux atours. Lui aussi, il aime bien le tourisme folklorique, le coût des bancs de la messe de minuit est à la hausse, le recette de sa quête aussi. Omer l'avait invité à réveillonner chez lui. Gilles Fortin ne rate jamais l'occasion de festoyer avec ses ouailles, amis et complices. D'autant plus que, chez grand-père, les repas officiels sont prétextes à ouvrir les écluses de gin et de vin. Quand il est parti de la maison, à quatre heures du matin, pour tituber jusqu'à son presbytère, j'aurais pu me demander comment ce curé réussirait à se lever, le lendemain, pour dire ses messes ordinaires. Mais j'avais l'esprit préoccupé par autre chose.

En sortant de l'église, après la deuxième messe, j'avais croisé Anik. Surprise ! Elle n'était pas avec Patrick Ferland. Seulement avec son père, sa mère et son frère. Je lui avais dit :

— Je pensais que tu ne venais pas à la messe.

— La messe de minuit, c'est pas pareil. On y vient toujours. C'est du folklore !

— Moi, c'est parce que la famille est en amitié avec le curé.

Elle avait rit avant de foncer dans la tempête. Une grosse neige molle qui recouvrait tout et tout. Vraiment très folklorique, elle aussi.

Anik passait donc la nuit de Noël sans Patrick Ferland. C'était encourageant.

Le lendemain, vrai jour de Noël, je suis allé faire du ski comme les touristes. Je savais qu'elle y serait. Je ne me trompais pas. Elle y était. Mais avec Patrick Ferland.

— Joyeux Noël !

Il m'a lancé la phrase traditionnelle sans me serrer la main et en se préparant à attaquer la pente d'experts la plus à pic, celle que, ce jour-là, on ouvrait pour la première fois aux risques et périls des skieurs assez fous ou assez champions pour s'y engager. Moi qui ne suis ni fou ni champion, je suis resté, pépère, sur les pentes ordinaires.

6

cœur rouge perdu
dans idées noires

Je savais désormais que je ne pourrais jamais fasciner Anik Vincent par
mes exploits sportifs. Selon les théories
de Luc, il fallait maintenant que je tente
le grand coup dans un autre domaine : la
conduite automobile. Là, mes parents
m'attendaient de pied ferme. Il a fallu
que je mette en œuvre toutes les facet-
tes de mon talent de négociateur pour
arriver à mes fins. Premièrement, ma
mère me trouvait trop jeune.

— À seize ans, on n'a pas encore la maturité pour conduire comme il faut.

Si j'avais manqué de tact, je lui aurais répondu qu'à quarante-deux ans, elle conduisait encore comme un pied, mais j'ai gardé cette réflexion pour moi. Pour renforcer son argument principal, elle m'a montré, dans *La Presse* de ce lundi 5 janvier, comment les jeunes parvenaient à se tuer sur les routes.

— C'est pas tout. Selon les statistiques, les choses sont encore pires en été, quand les motos... D'ailleurs tu devrais dire à ton ami Luc que...

Je n'avais rien à dire à Luc. Pour l'hiver, il avait décidé de démonter complètement sa Yamaha RD 350. À mon avis, l'été la retrouverait en pièces détachées.

C'étaient là les arguments de ma mère. Mon père en agitait d'autres. Dont un grand, un énorme : les sous. Mon notaire de père a emprunté des allures d'avocat pour m'expliquer :

— Comment espères-tu payer l'essence que tu vas consommer, hein ? Ta mère et moi — il a toujours aimé utiliser l'expression « ta mère et moi » comme pour me démontrer qu'ils forment un front commun dans le domaine de mon éducation et qu'il est inutile que je m'amuse à tenter d'influencer l'un ou l'autre des deux membres de leur association — ... Ta mère et moi, nous te donnons de l'argent de poche, nous ne voyons pas pourquoi nous devrions payer ton essence.

— Je pourrais me trouver un job !

— Écoute François, je n'aime pas beaucoup que tu utilises des mots comme « job ». Habitue-toi à dire les bons mots en français. Ta mère et moi, nous remarquons d'ailleurs un certain relâchement dans ton langage depuis le début de cette année.

— D'accord, papa, je vais faire attention.

Je l'ai appelé « papa », mais, étant donné le ton qu'il utilisait, « maître » aurait été plus adéquat. Mon père n'a jamais été capable de prendre un ton ordinaire pour formuler sa façon de penser. Il a deux grands niveaux de langage : celui qu'il emprunte quand il demande le ketchup et celui qu'il déploie pour faire passer une idée. Je me suis souvent demandé, depuis les premiers éveils de ma sexualité, lequel de ces deux langages il utilise sur l'oreiller. Et ma mère, comment répond-elle à ses avances ? Est-ce qu'il lui fait des avances claires ? Vraiment, je n'osais pas les imaginer se chevauchant allégrement comme ce couple que j'avais admiré dans le *Hustler* de novembre dernier, celui qui a brûlé avec mes autres péchés dans le foyer.

Les problèmes que mes parents pouvaient éprouver lors de leurs rencontres sexuelles, si elles existaient encore, étaient très loin de mon problème de l'heure : mes cours de conduite. Parce qu'il n'y avait pas que l'argent de l'essence, il y avait deux autres montants qui se balançaient devant mon nez : le coût des cours eux-mêmes (plus de trois cents dollars) et le coût de l'assurance pour l'automobile (entre cinq cents et huit cents dollars de plus que ce que mon père paie déjà), tout cela parce que je suis un garçon. Pour une fille, ça coûte à peine quarante dollars.

Mon père et ma mère tenaient là des arguments massues et s'attendaient bien à me voir abandonner la partie. Dans leur esprit, mon permis de conduire me serait parfaitement inutile, ils n'imaginaient évidemment pas quel atout ça devenait dans l'aventure de la conquête d'une fille.

Même si j'avais l'air du plus parfait des raisins, je me suis creusé le citron pour me trouver un allié. Luc, qui l'année dernière avait réussi à convaincre ses parents de lui fournir « son passeport pour la mort » en criant pinotte, m'a proposé de venir secouer mes parents. C'était la dernière chose à faire. Luc a beau se prendre pour un brillant négociateur et un séducteur de premier plan, je savais que s'il ouvrait la bouche devant ma mère, je n'aurais pas mon permis de conduire avant ma majorité. Non, j'ai plutôt été rendre visite à mon grand-père.

Ce soir-là, le gin avait rendu Omer juste assez mou pour le rendre très compréhensif. J'ai fait vibrer la corde

« fille », c'est-à-dire que je lui ai démontré que mon permis de conduire me permettrait d'inviter des filles au cinéma ou à faire un tour tranquillement.

Pendant que je parlais, Omer me fixait le nez. Un sourire se dessinait doucement sous le sien. Je suis certain qu'il se disait que, avec son nez et un volant dans les mains, j'allais devenir le don Juan de la polyvalente. Ah! l'hérédité! Il m'a écouté attentivement, il était visiblement aux oiseaux. Et puis il a déclaré en se massant notre point commun :

— J'ai mon plan. Pour ton père et ta mère, c'est une question d'argent, on va leur couper cet argument-là à la racine. Premièrement, pour tes seize ans, c'est moi qui vais t'offrir tes cours de conduite.

Je suis certain que mon nez a clignoté un coup ou deux. La chose l'a encouragé.

— C'est pas tout. Je vais leur dire qu'il serait bon que tu apprennes à conduire jeune. Dans quelques années, tu pourras ainsi travailler pour moi.

J'ai dû changer de couleur quand je lui ai demandé :

— Qu'est-ce que je pourrais faire pour... pour toi ?

— Là, tu es encore trop jeune. Mais, dans deux ou trois ans, tu pourrais conduire le corbillard aux funérailles... et aller chercher les corps dans mon camion... Pour ça, faut que tu pratiques avant.

Moi qui déteste les morts, j'ai été profondément malhonnête quand j'ai approuvé son plan. Vous me voyez diriger des funérailles ? Vous me voyez en train de véhiculer des accidentés, des vieux décomposés, des fantômes ? Pas moi. Jamais, je ne ferai ça. Jamais ! J'ai quand même dit à Omer qu'il était génial. Quel affreux menteur j'étais ! Quel hypocrite ! Mais Omer est un vieux renard. Son plan a marché. Mes parents ont cédé.

C'est ainsi que j'ai dû me taper les trente heures de cours théoriques. J'avoue cependant que j'ai été assez fier le jour où Guylaine, mon instructrice pour les cours pratiques, est venue me chercher à la porte de la polyvalente. En m'installant derrière le volant, j'ai croisé le regard d'Anik qui se dirigeait vers l'auto de Patrick Ferland. Je suis certain qu'elle s'est dit :

— Ah ! C'est intéressant ! François va bientôt conduire une auto.

Une chose est sûre, c'est que moi, je ne ferai pas crisser mes pneus en quittant le stationnement de la polyvalente, comme le fait « son » Patrick Ferland.

C'est ainsi également que, pour payer l'essence que je vais bientôt brûler, je garde des enfants les vendredi et samedi soirs. Je ne deviendrai jamais moniteur de ski, je garde donc les enfants des Bouchard. Trois petits gars de quatre, cinq et sept ans. Des monstres qui n'ont rien, absolument rien en commun avec les morts que je piloterai vers leur dernière demeure dans quelques années. Il est vrai aussi que ce n'est pas dans la cuisine à l'envers des Bouchard, entre les pleurs et les chicanes de ces petits morveux, que je séduirai Anik Vincent.

On a beau dire : passer son permis de conduire, c'est quelque chose. Moi qui ne me rongeais plus les ongles depuis un gros six mois, j'ai failli retomber dans mon vice. L'examen théorique ne m'énervait pas trop. Mais c'est l'examen pratique avec son stationnement parallèle qui me faisait suer. Luc m'avait dit que tout dépendait de l'humeur de l'examinateur. Pierre Jodoin, qui ne déteste pas faire son Ti-Jos-Connaissant, l'approuvait. Il avait ses raisons puisqu'il avait lui-même échoué.

Je me suis présenté au bureau des permis de conduire, les mains moites, les oreilles molles et les orteils en nœud. L'examinateur était un vieux bonhomme qui respirait fort. Il m'a demandé de rouler. J'ai fait tous mes arrêts avec soin, j'ai joué des clignotants quand il le fallait et je me suis stationné comme je n'aurais jamais espéré le faire.

C'est ainsi que j'ai obtenu mon permis de conduire. J'avais du mal à le croire... même que Pierre Jodoin ne m'a pas cru. Il a fallu que je le lui montre.

J'en ai éprouvé un vif plaisir parce qu'Anik, qui a maintenant les cheveux rouges, était là. Elle aussi, elle l'a vu.

*   *   *

Début février, j'ai été malade. Un rhume à tout casser. Ce sont certainement les trois petits Bouchard qui m'ont refilé un virus. J'avais la tête grosse comme ça. Je n'allais pas manquer des cours pour si peu. Ce n'est pas le sirop que j'avalais, les aspirines dont je me nourrissais et les kleenex qui bourraient mes poches qui allaient m'empêcher de voir Anik. Elle était là. Elle ne manquait jamais et n'était jamais malade.

J'ai rêvé un moment, pendant le cour ennuyant de Mister Zee, que je pourrais peut-être lui offrir ma grippe. Nous n'avions qu'à échanger un long baiser. Un long baiser comme ceux que s'échangent Luc et Andréa depuis quelques temps. Avec un rhume de cerveau, ce n'est pas aussi facile qu'on le pense. Je ne respire quand même pas par les oreilles.

D'ailleurs, je ne sais pas si c'est

mon imagination ou une obsession de ma part... à moins que ce ne soit la fièvre qui m'étourdissait, mais j'avais l'impression que mes confrères et consœurs s'embrassaient comme jamais. L'entrée de la polyvalente était devenue un terrain de french kiss, ça se mangeait dans le stationnement, avant de se quitter devant l'autobus scolaire... dans les corridors aussi.

En classe, c'était plus tranquille, ce qui est normal. J'imagine qu'en physique, par exemple, les explications de Blender seraient devenues dix fois plus mélangeantes si les étudiants s'étaient mis à se lécher à qui mieux mieux.

Chose certaine, si Anik m'avait offert une grippe contre un baiser, je n'aurais pas hésité un seul instant. Si j'avouais une telle chose à ma mère, elle me traiterait d'obsédé sexuel. Il reste que je suis malade. Anik me rend complètement malade. Oh ! Je n'ai pas la mononucléose comme Pierre Jodoin. Mais je suis malade. Que quelqu'un me donne la mononucléose en m'embrassant et je ne me plaindrai pas.

Je ne sais pas si c'est d'avoir obtenu mon permis de conduire, mais j'ai acquis une certaine assurance. Il y a des petites victoires comme ça qui vous donnent un coup de pied dans le derrière et vous élèvent un peu.

Mon assurance m'a poussé chez Picard. Là, j'ai acheté — pas piqué, bel et bien acheté — une carte de la Saint-Valentin. J'ai choisi la moins quétaine. Difficile à décrire, cette carte-là. Disons qu'elle avait un cœur dessus, comme vous deviez vous en douter. À l'intérieur, d'une écriture en bâtonnets qu'elle ne saurait jamais reconnaître, j'ai écrit quatre vers qui n'étaient pas piqués des vers. Je ne l'ai pas signée et je l'ai adressée à Anik Vincent.

Du 13 au 14 février, j'ai passé la nuit blanche. Et, au matin de la Saint-Valentin, j'ai suivi Anik du regard. Avec Patrick Ferland, elle semblait encore tout à fait normale. Et puis ils se sont quittés. Patrick s'est dirigé vers son local. Anik est entrée dans le nôtre. C'est là qu'elle a parlé à Andréa à qui Luc, qui n'est pourtant pas doué pour les petites finesses, avait eu la délicate attention d'offrir une rose. Andréa se l'était piquée dans les cheveux.

Pendant un instant, je me suis demandé où ils en étaient rendus tous les deux. Sur le plan sexuel, j'entends. Ah ! s'ils avaient tout, vraiment tout fait, Luc m'en aurait parlé. De sa vie, il n'a jamais réussi à rater une occasion de se vanter. Je crois qu'ils en étaient au stade des grandes caresses, celles qui n'en finissent plus. Moi, j'étais loin au bas de l'échelle. Andréa s'est donc gargarisée de sa rose et Anik lui a chuchoté qu'elle avait reçu un valentin.

— Patrick a pensé à toi.

— C'est pas lui.

— Qu'est-ce qui te fait dire que c'est pas lui ? s'est étonnée Andréa.

— Il a pas signé et...

— C'est normal de pas signer un valentin.

— C'est pas tout, a ajouté Anik. Il y a quatre vers à l'intérieur. Et la poésie, ça n'a rien à voir avec Patrick.

— Montre donc !

Anik, doucement, a lu mes quatre vers à voix basse.

Quand tu n'es pas là
Les oiseaux ne chantent plus
Le soleil devient gris
Les jours se perdent au
hasard du vent

Rouge comme une tomate, je dévorais le pupitre qui était devant moi. Je n'osais pas regarder. J'avais envie de brailler comme un veau. Quand Andréa a dit :

— De qui ça peut être ?

J'ai eu envie de crier :

— Vous me reconnaissez pas ? C'est de moi !

Mais je me suis tu. J'ai gardé mon cri comme une grosse boule au fond de ma gorge. J'ai simplement entendu Anik répondre :

— Je finirai bien par le savoir.

Là, j'ai toussé. Décidément, mon rhume ne voulait pas passer. Avec un peu de perspicacité, elle aurait pu voir ma rougeur et le bouton de nervosité qui me poussait sur le nez.

Ce soir-là, je me suis trouvé tout à l'envers quand j'ai voulu sortir mes livres pour faire mes devoirs de maths. Il y avait un valentin dans mon sac. Je tremblais en ouvrant l'enveloppe. Il y était écrit :

Je t'aime.

Et c'était signé :

Quelqu'une qui te veut du bien.

J'ai tout de suite reconnu l'écriture. C'était celle de l'inévitable Caroline Corbeil.

*   *   *

Même si mes parents refusaient toujours de me prêter la voiture, je gagnais vraiment mon essence à la sueur de mon front. Et ce soir-là, dans mon front comme dans mes lunettes, j'avais des gouttelettes de peinture. C'est ce qui arrive quand on travaille au rouleau. J'étais en train de repeindre la pièce de télévision chez mon grand-père. Bientôt, grand-mère pourra suivre ses téléromans dans une pièce couleur coquille d'œuf, ce qui lui convient bien, étant donné ses allures de mère-poule avec mon père et ma mère.

Je me rends compte, d'un jour à l'autre, qu'Omer a plus d'un tour dans son sac. Quand il se met à se torturer le nez en cherchant de bonnes solutions, il finit par en trouver qui le placent en fort bonne posture.

Ainsi, en devenant mon allié dans l'affaire de mon permis de conduire, il savait qu'il pourrait désormais me confier une foule de petits travaux que je ne pourrais jamais refuser d'exécuter. C'est pourquoi je joue du rouleau et du pinceau... pendant que lui cuve son gin. Ce n'est pas en peinturant qu'on attrape les filles. Il me paie, c'est toujours ça de gagné.

Il projette aussi de me faire repeindre les différentes pièces de son salon mortuaire. Je ne rouspète pas. Je suis coincé. Luc m'a promis de m'aider. Mais je connais les promesses de Luc. Dès qu'Andréa Paradis lui fait signe, il laisse tout tomber. D'ailleurs, il a déjà un emploi, lui. Il est moniteur de ski et il fait de l'argent. Vraiment, l'amitié et la complicité, ce sont deux choses pas très faciles à vivre.

J'allais terminer la pièce quand le curé Fortin est arrivé. Le curé Fortin, c'est Gilles. Il s'amène assez souvent chez Omer pour jouer aux cartes. Ils ont des copains de leur âge et ne manquent jamais un petit poker bien arrosé. Gilles a profité du moment où Omer et lui attendaient leurs acolytes pour venir me « piquer une jase » comme il me l'a dit. J'aurais aimé savoir qui l'avait délégué pour me tâter ainsi. Ma mère ? Certainement pas, elle a trop de classe pour m'envoyer le curé Fortin. Ma grand-mère ? Fort possible.

Toujours est-il que Gilles m'a fait un petit sermon sur la méfiance que tout jeune homme doit entretenir vis-à-vis des filles. J'ai dû lui paraître assez surpris puisqu'il s'est mis à tousser et à se racler la gorge. Je le connais bien. C'est ce qu'il fait quand il cherche ses mots. Il s'éclaircit la voix.

Oui, selon Gilles Fortin, curé de Bon-Pasteur-des-Laurentides, joueur de poker et bon buveur à ses heures, je dois me méfier des filles, qui peuvent vous gâcher les études. Moi, j'étais brillant, mais il sait que cette année ne serait pas ma meilleure.

— Est-ce qu'il y a quelque chose qui te chicote ?

— Comment ça se fait que vous savez que ça sera pas ma meilleure année ?

— J'ai le pif. Et puis réponds pas à mes questions par d'autres questions. Qu'est-ce qui te chicote ?

— Qui est-ce qui vous a demandé de me faire un sermon ?

Gilles Fortin se met à rire. Il sait bien, tout curé qu'il est, que j'ai atteint un âge où je peux le juger avec plus de justesse.

Il se met à patiner, comme il le fait quand il vient causer à la polyvalente et qu'il veut se montrer copain avec tout le monde. Et puis, peu à peu, il laisse les filles et les études. Je joue tellement l'innocent que je le déconcerte. Il laisse les filles et les études pour me proposer d'aller peindre son presbytère. Pourtant il y a des gens qui feraient ce travail-là gratuitement seulement pour être plus près de Dieu. Parfois, je me demande si Gilles Fortin ne se fout pas de Dieu... pour lui, ce n'est qu'une bonne raison pour potiner avec tout à chacun. S'il ne jacassait pas dans la vie, il ne saurait pas quoi faire de ses dix doigts et il serait certainement entré dans la pègre. La vocation l'a sauvé.

De mon côté, je sais que je ne serai jamais curé. Ni entrepreneur de pompes funèbres. Ni embaumeur. Je serai l'amant d'Anik Vincent. Je l'embrasserai souvent et partout, sur ses petits seins, dans le cou, sur les yeux et les joues, partout ! Je ne confie évidemment rien de cela à Gilles Fortin. Le secret de la confession, ça n'existe plus. Dans la famille en tout cas.

Finalement, avant d'aller retrouver les autres joueurs de cartes et son verre de gin, Gilles Fortin me demande, comme si de rien n'était parce qu'il aime dédramatiser les événements pour se donner l'air cool, pourquoi je suis en train de perdre mon titre de bolle. Je lui dis que je me sens fatigué.

Je ne suis quand même pas pour avouer candidement que cette fille-là me rend malade. Qu'à cause d'elle, pendant de grands moments, je divague, je suis dans la lune. Partout je pense à elle, du creux d'un livre où je peux me perdre au fond de ma chambre jusqu'à ce travail au rouleau, entre les gouttelettes de peinture coquille d'œuf, c'est elle que je vois. C'est Anik Vincent que j'imagine. Comment le curé Fortin pourrait-il comprendre cela ?

— Finalement, tu sais, je suis de l'avis d'Omer. Une fille qui te dirait que tu es pas trop raisin, ça te remettrait sur le piton.

Il s'en va en riant. Je les entends qui rient encore dans la salle à manger. C'est cœur atout !

7

l'improvisation, c'est franchement meilleur

Mois de mars, mois des désastres. Pour Luc, comme pour bien d'autres que je connais, le mois de mars a été tout simplement désastreux.

Nous avions congé la dernière semaine de février. C'est une espèce de bouée au bout du mois de la fatigue et des suicides. D'habitude, dans les Laurentides, tout le monde se frotte les mains et se lance sur les pentes de ski. Luc était content. En donnant des leçons, il avait espéré entasser la petite fortune qui lui permettrait de subsister jusqu'à l'été. Mais voilà qu'il s'est mis à pleuvoir. L'hiver ne trouvait rien de mieux que la pluie pour nous tirer sa révérence. Mais, pour Luc, le vrai désastre n'a pas été d'avoir raté sa petite fortune. Non, il a affronté pire. Andréa Paradis et lui ont connu leur première vraie chicane.

Les parents d'Andréa avaient dû prévoir la pluie puisqu'ils ont décidé de l'emmener passer la semaine en Floride. Luc a sursauté. Il est tellement possessif à ses heures. Il aurait voulu la retenir ou y aller, en Floride, lui aussi. Quel intérêt une fille de dix-sept ans pouvait-elle trouver à visiter Disney World ? C'est vrai qu'elle a un petit frère, Andréa Paradis, mais quand même. Andréa a résisté. Elle n'allait pas refuser le soleil. Luc a insisté. Alors Andréa lui a parlé de l'anneau de son oreille droite.

— C'est les homosexuels qui se font percer l'oreille droite. En Angleterre, tu serais correct. Mais en Amérique, c'est l'oreille gauche qu'il faut se faire percer.

Luc Robert a très mal encaissé le coup. Andréa est partie sans qu'il lui souhaite bon voyage. Le grand froid était bel et bien installé.

N'eût été de la pluie, Luc aurait pu se défouler sur les pentes. Mais elles étaient trop détériorées. Je l'ai donc eu dans les pattes toute la semaine. Heureusement que je ne sortais pas avec une fille. Il aurait fallu que je le mette à la porte et ça n'aurait pas fait son affaire. L'anneau de son oreille ne faisait plus son affaire, lui non plus. Il l'a retiré et a décidé de laisser le trou se refermer. Pour rien au monde il ne voulait passer pour un homosexuel.

J'ai donc tenté de l'occuper. Nous sommes retournés au tennis. Je n'étais pas meilleur qu'à l'automne. Patrick Ferland jouait au grand entraîneur avec Anik. Je la plaignais.

— C'est ça, frappe là-dessus ! Good ! Monte au filet !

Ferland a une voix qui porte. Une voix qu'on entend d'un bout à l'autre de la grosse bulle gonflée qu'est le club de tennis de Sainte-Angèle. Une voix qui tombe sur les nerfs.

Puis, au mois de mars, il y a eu la grande bouderie. Andréa était bronzée comme ce n'est pas possible. Walt Disney lui avait donné une bonne quantité de soleil. Et Luc était jaloux de Walt Disney. Comme si l'inventeur de Mickey Mouse, que l'on dit congelé, était soudainement ressuscité pour caresser sa blonde. Maudit Walt Disney !

À la maison aussi, il y a eu du désastre. Mon père a voulu se présenter à la mairie du village. Mais il n'était pas tout seul. Il s'est fait battre. Bang ! Gros drame à la maison ! Marcel Gougeon a décidé que ses concitoyens étaient des épais. En les traitant de la sorte, je comprends qu'ils ne l'aient pas élu. Ils ont dû sentir la chose.

Ma mère et ma grand-mère ont pris cette défaite comme une attaque personnelle visant la famille. Grand-père n'a pas eu l'air de s'en faire pour autant. Il y a eu quelques morts, des vieux qui n'ont pas réussi à passer l'hiver, et il a fait de l'argent.

Moi, allez savoir pourquoi, c'est dans le désastre que je réussis à pointer du nez.

Moins-Cinq nous a dit, au retour de notre semaine de vacances, de préparer un court monologue. Autrement dit : traiter d'un sujet personnel, rédiger le texte et le présenter oralement devant les autres élèves. Le jour de son cours, elle a tiré au sort le nom de celui qui devait briser la glace. Chanceux comme toujours, c'est le mien qui a été pigé.

Les mains mouillées, je ne savais que faire de mes deux grands bras qui pendaient de chaque côté de mon corps maigre. Je me suis mis à les balancer avant de les croiser. Et puis, je me suis touché le nez. Je pouvais déjà sentir le bouton que cette performance allait faire germer. D'une voix tremblante, j'ai avancé :

— Vous voyez ça, c'est un nez. C'est mon nez.

Les élèves se sont mis à rire. Je dois être joliment masochiste puisque je me suis mis à battre de l'aile... au bout d'une minute, je volais.

J'avais choisi l'hérédité. Le sujet pourrait être catastrophique et ennuyant. Moi, j'ai dit que la grande catastrophe de ma vie était l'hérédité qui m'avait doté du nez de mon grand-père. Le fait que mon grand-père soit croque-mort et mon père notaire a eu l'air d'être hilarant... Évidemment, je ne riais pas, mais je ressentais quand même un certain plaisir à parler de moi. Quelque chose comme une chaleur intérieure.

À un moment, j'ai croisé le regard d'Anik. Elle tortillait la plus longue couette de ses cheveux rouges tout en me regardant, un sourire en coin. Je ne l'avais jamais vue aussi attentive, sauf sur un terrain de tennis. J'ai balbutié un peu. J'ai eu envie de dire :

— Est-ce que c'est parce que j'ai ce nez-là que tu t'intéresses pas à moi ?

Je n'ai pas prononcé ça. J'ai plutôt affirmé :

— Mon nez, c'est ce qui fait que les filles ne me tombent pas dans les bras. Elles doivent avoir peur de s'y fracasser si je les embrassais.

La classe a encore ri.

J'ai enchaîné sur mes lunettes. Caroline Corbeil qui n'avait pas les siennes forçaient ses yeux en les plissant pour me regarder comme il faut. Anik, elle, avait ses lentilles et me regardait. Un frisson m'a secoué de la tête aux pieds et j'ai eu envie de pleurer au moment où les élèves m'ont applaudi. Je suis revenu à ma place, je ne voyais plus rien.

— Voilà quelqu'un qui a le sens du monologue, a déclaré Moins-Cinq.

Je regardais la table droit devant moi. J'y avais posé mes coudes et je reprenais mon souffle.

— Je comprends ! Tu as été fantastique !

C'était Anik qui venait de me souffler cela à l'oreille. J'ai senti une bouffée de sang me brûler le visage. Si je n'avais pas été aussi orgueilleux, j'aurais perdu connaissance.

Il paraît que j'ai été celui qui a recueilli le plus d'applaudissements. Je ne l'aurais jamais cru si Pierre-Paul Bernier, le responsable de la Ligue d'improvisation de la polyvalente, n'était venu me demander de jouer pour son équipe. J'ai accepté, sans trop imaginer dans quoi je m'embarquais.

* * *

La pluie a continué ses ravages. La terre s'est mise à reparaître un peu partout sur les pentes de ski... et Luc pestait de plus belle.

— Tu devrais être content. Tu vas pouvoir sortir ta moto plus tôt que prévu.

— Laisse ma moto tranquille. Va falloir que je la fasse remonter. Là, je cherche un mécanicien.

— Tu m'avais dit qu'il existait des livres pour...

— J'en ai pas trouvé un seul.

Rien n'allait comme sur des roulettes dans la vie de Luc Robert. À la polyvalente, Andréa et lui ne se regardaient plus. Luc maintenait sa bouderie et Andréa semblait de plus en plus bronzée. À croire que Walt Disney avait élu domicile dans le congélateur des Paradis. Un samedi matin, je l'ai rencontrée. Elle entrait dans le studio de bronzage du centre commercial du village.

— Ah ! Je comprends là !

— Bah ! Oui ! Faut bien conserver son teint ! Mais toi, t'as pas besoin de dire ça à Luc, tu sais.

L'improvisation, ça rapporte. Je lui ai répondu, du tac au tac :

— Je lui dirai pas. De toute façon, il me parle jamais de toi.

Elle a ouvert de grands yeux étonnés.

— C'est vrai ?

— Non. C'est pas vrai. Il est en train de devenir fou. Avant de te connaître, il était parlable. Maintenant, il est ennuyant comme la pluie. Tu peux pas savoir, Andréa, comment l'amour peut changer quelqu'un.

Si Luc m'avait entendu, il m'aurait étranglé. Je parlais comme un responsable de l'harmonie dans la vie des couples...

— Mais qu'est-ce que tu connais à l'amour, toi, Woo... je veux dire...

— Appelle-moi Woody, ça me dérange pas. Mais, au sujet de l'amour, j'en connais peut-être plus long que tu le penses.

Si elle m'avait demandé si j'étais en amour, je lui aurais répondu oui. Et si elle m'avait encore demandé avec qui, je lui aurais dit qu'Anik, sa copine Anik Vincent, bousculait tout dans ma vie. Je lui aurais avoué tout cela, au risque de me faire un ennemi mortel de Patrick Ferland et en espérant qu'elle répète notre conversation dans ses moindres détails à Anik. Mais non ! Les gens sont un peu plus penchés sur leur nombril que ça. Elle m'a dit, naïvement :

— Il m'aime encore ?

— Certain !

— Il te l'a dit ?

— Bah oui !

— Quand il t'en reparlera, dis-lui que c'est la même chose pour moi.

Je ne sais pas pourquoi, l'idée de les voir se réconcilier grâce à moi, m'a donné un coup d'orgueil. J'ai répondu :

— Tu lui diras toi-même. On va voir *Cœur de pirate* au cinéma de Sainte-Angèle. Représentation de sept heures et demie, ce soir.

— Je serai là.

— Vas-tu venir avec Anik Vincent ?

Je gardais mon air le plus innocent.

— Je sais pas. Pourquoi tu me demandes ça ?

— Pour rien.

Et elle s'est sauvée vers le studio de bronzage. Je me suis trouvé complètement raisin d'avoir mêlé Anik à cette conversation jusque-là fort brillante.

Dans un premier temps, Luc a voulu me tuer. Je savais qu'il jouait. Finalement sans trop se faire tirer l'oreille, il a accepté de venir au cinéma. Omer m'a prêté la grosse Lincoln noire qu'il loue pour les enterrements et les mariages. J'avais l'air d'un croque-mort amateur quand je l'ai stationnée tout près du cinéma. Une Lincoln Continentale noire, ça va avec un chauffeur à cheveux blancs, pas avec un lunetteux de mon espèce.

Le film était parfaitement vide. Il méritait le sort qu'Andréa et Luc lui réservaient. Ils n'ont pas arrêté de s'embrasser. Anik n'était pas là. Andréa, je ne sais pas pourquoi, s'est soudainement souvenue que je lui avais parlé d'Anik le matin même. Elle m'a chuchoté :

— Anik se couche de bonne heure. Elle s'entraîne à huit heures le dimanche matin.

— Le dimanche aussi ?

— Ben oui.

Elle a ajouté :

— Mais pourquoi tu m'as demandé ça à matin ?

— Parce que vous êtes toujours ensemble... et puis, ça aurait eu l'air moins arrangé avec le gars des vues.

Au retour, ils ont poursuivi leurs embrassades sur le siège arrière de l'auto de grand-père. Ce siège-là avait surtout été témoin des larmes des familles éplorées, pas tellement des amoureux qui se pelotent. Ça devait lui faire tout un changement. Moi, je me sentais tout à fait chauffeur discret... et j'en avais l'allure. À la radio, le *Concerto pour piano et orchestre no 1* de Tchaïkovski jouait doucement. Ils ne m'ont même pas demandé de changer de poste.

*   *   *

Merci, les spots ! Je vous ai regardés en pleine face pour m'aveugler quand Stéphane Poulin, mon instructeur, m'a fait signe d'embarquer sur la patinoire.

Le compte était 7 à 7. Nous étions en supplémentaire. J'avais déjà participé à trois improvisations sans faire d'éclats, toujours dans un rôle de second plan. Combien de personnes avaient remarqué que je faisais mes débuts ? J'aurais bien aimé savoir pourquoi Poulin m'envoyait sur la patinoire. À mon avis, il faisait le mauvais choix. Comme tout le monde, je venais d'entendre l'arbitre défiler le thème :

— Improvisation comparée qui a pour titre « Sous la vérenda ». Nombre de joueurs : un. Durée : 5 minutes.

Comment m'en tirer ? Aveuglé par les spots, je n'ai ni écouté ni même regardé la performance de la fille de l'équipe adverse. Dans ma tête, je cherchais, je cherchais. J'étais loin. Au coup de sifflet, je saute sur la patinoire comme un automate.

J'ai les jambes molles. Je me jette immédiatement à genoux, plié, recroquevillé... Je fixe le plafond pour m'aveugler encore plus, pour oublier tous les spectateurs qui me regardent, qui m'attendent.

— J'ai peur, madame Vincent, j'ai peur de respirer trop fort.

Je chuchote.

— J'ai peur que vous m'entendiez, maman et vous, et que vous deviniez que je suis caché sous la véranda. Je me suis glissé ici parce que je savais que vous viendriez. Et je voulais vous entendre. Parce que j'aime ça, entendre votre voix. J'aime vous entendre parler, madame Vincent. Quand vous parlez, j'imagine votre fille, j'ai l'impression que je l'entends à travers votre voix. J'aime quand vous parlez d'elle, même si ça me fait mal. Elle est trop vieille pour moi, votre fille, madame Vincent. Elle a seize ans. Moi, j'ai à peine douze ans. Elle ne me regarde jamais. Elle a ses activités et ne sait même pas que je l'espionne, que je l'admire, que je respire son parfum.

Dans la salle, plus un bruit. Je dois parler trop bas. Ma voix murmure, je le sais. Comme je suis en petit bonhomme, je force les autres à prêter l'oreille. J'ai la bouche sèche... la tête comme un désert.

— J'aime vous entendre dire que votre fille a des activités, madame Vincent. C'est bien que vous veniez ainsi prendre le café de l'après-midi avec ma mère. Moi, je ne suis rien, vous ne remarquez même pas mon absence. Ma mère non plus. Votre fille passe ses journées au tennis, elle frappe des balles, elle rit avec ses amis, ceux de son âge. Souvent, je vais rôder autour de la haute clôture de métal. Quand une balle bondit par-dessus, c'est moi qui vais la chercher. Je veux être celui qui renvoie les balles aux joueurs. Votre fille joue bien, madame Vincent. Tous les garçons de son âge l'admirent. Ils regardent ses jambes se tendre, ils la regardent courir, frapper... J'aime quand le vent colle son chandail mouillé de sueur contre sa poitrine et qu'il laisse paraître ses petits seins durcis. Personne ne sait toutes les idées qui chavirent dans ma tête quand je l'épie. Je resterais des heures au soleil, comme je patienterais des heures sous la véranda, recroquevillé, engourdi, quand je sais que vous allez venir et que vous parlerez d'elle. Votre mari vous a quittée, madame Vincent. Vous n'avez plus que votre fille. Alors vous en parlez beaucoup, avec tellement d'émotion. Ça me fait plaisir. Tout ça me fait rêver, madame Vincent. Et vous savez, les rêves laissent toujours des traces. Ils sont jamais tranquilles. Ça s'appelle des cicatrices. Des cicatrices comme celles que vous avez dans le cœur quand vous pleurez. Je vous ai entendue pleurer, madame Vincent. Ma mère vous consolait. Ma mère vous a comprise. Moi aussi, je vous ai comprise. Et je pleure... Je pleure maintenant parce que vous parlez d'un accident. Votre fille a-t-elle eu un accident ? Comment il se fait que je ne l'ai jamais su ? Encore ce matin, je l'ai regardée jouer au tennis. Elle est tellement grande, tellement belle. Ils ont parlé d'aller se baigner, ses copains et elle. Qu'est-ce que c'est que cette histoire de bébé qu'elle attend ? Où il est ce bébé qu'elle n'aura jamais, madame Vincent ? C'est moi qui ressemble à un bébé. C'est moi qui suis recroquevillé comme un bébé sous cette véranda. La terre est chaude, madame Vincent, je voudrais y entrer... me faufiler, redevenir un rien qui n'a jamais poussé pour oublier ce bébé qui me fait pleurer. Vous... vous m'avez entendu ? C'est pour ça que vous ne parlez plus, madame Vincent ?

Le sifflet retentit. J'ai l'impression d'émerger d'un profond coma. Les applaudissements me redonnent vie. J'aurais du mal à répéter exactement tout ce que je viens de dire.

*   *   *

Nous avons gagné le match. Le mois de mars n'est pas si catastrophique que ça. Dans la pièce qui nous sert de chambre des joueurs, Luc et Andréa sont venus me féliciter. Anik aussi.

— Qu'est-ce qui t'a pris d'utiliser mon nom ?

Anik m'a demandé cela en riant. C'était certainement une façon de masquer sa nervosité.

— Rien ! C'est le premier nom qui m'a traversé l'esprit !

Parce qu'il s'y promène toujours, aurais-je dû ajouter. Mais j'ai joué. Je lui ai dit qu'une fois sur la patinoire, on ne pensait plus à rien. Je mentais. Elle s'en rendait peut-être compte. J'espérais qu'elle s'en rende compte. Nous n'avons jamais pu poursuivre, Patrick Ferland est venu la chercher. Il ne semblait pas de bonne humeur. Il a dit fort qu'il la cherchait partout, qu'ils devaient partir, qu'ils avaient à s'entraîner.

Une fois dehors, j'ai vu que le printemps commençait à chanter. Le soleil battait dans les flaques d'eau.

8
le printemps fou

Cui ! Cui ! Les oiseaux ! Le printemps ! Jamais, depuis que le monde est monde, il n'y a eu un printemps semblable. Je ne marche plus, je vole, je plane et je n'atterris jamais... sauf au milieu de certains cours ou pour manger à la maison. J'atterris, je me dépose doucement, sans me casser la gueule. Pourtant j'ai un œil au beurre noir. Un œil au beurre noir mais je m'en fous. Même qu'à le voir devenir jaunâtre et disparaître, ça me donne mal au cœur.

Parce que cet œil-là a marqué un point tournant. Il a été le signe d'une grande victoire pour moi. Mon œuf de Pâques !

La fin de semaine de Pâques, dans un club de tennis de Boucherville, se déroulait le championnat de tennis en salle du Québec. Je savais qu'Anik y participait, elle en avait tellement parlé. J'ai emprunté la Lincoln d'Omer.

— Pour aller où ? m'a-t-il demandé.

— À Boucherville.

— Et qu'est-ce qu'il y a d'extraordinaire à Boucherville ?

— Je vais te le dire, Omer. Une fille.

Je lui aurais offert une super-bouteille de gin, le plus beau cadeau de sa vie qu'il ne m'aurait pas souri autant.

Il s'est mis à me questionner sur l'inconnue. Je suis resté vague. Je savais que rien n'était sûr, mais je faisais un pas, un grand pas. J'en avais le trac. Le seul fait de me rendre au tournoi d'Anik devenait un aveu. En me voyant là, elle comprendrait. Rien ne m'attirait à ce tournoi de tennis sinon l'envie folle de l'applaudir elle et elle seule.

Il y avait l'obstacle Patrick Ferland, je le savais. Mais je l'avais entendu raconter à Ti-Pic Ratelle, son grand copain, comment il avait séduit une autre fille de sa classe. Ou bien il mentait effrontément, ou bien il se moquait d'Anik. De toute manière, il ne la méritait pas.

C'était le vendredi, Vendredi saint, jour triste selon la tradition. Le soleil pétait quand même. J'étais assez fier de mon chandail jaune, couleur audacieuse pour un timide de mon espèce. Et je portais un jean presque trop propre. Je m'étais aussi fait couper les cheveux si courts qu'ils retroussaient un peu sur mon crâne, me donnant un air parfaitement à la mode.

En entrant, j'ai entendu le bruit des balles que l'on frappait d'aplomb, ce que je n'arriverais certainement jamais à faire. J'étais encore plus nerveux qu'Anik elle-même. Je me suis rendu vers le grand tableau et j'ai pu constater que, la veille, Anik Vincent avait remporté ses deux matchs. Il était deux heures trois. Et elle devait jouer son match de troisième ronde à deux heures sur le court numéro un, qui se trouvait juste devant moi.

Anik échangeait des balles de réchauffement avec son adversaire qui me semblait immense. C'était une femme de vingt-deux ou vingt-trois ans et qui ahanait chaque fois qu'elle frappait la balle. Il n'y avait pas d'estrades, seulement deux rangées de bancs disposés le long du mur de blocs de ciment, à une distance respectable du court. L'air absent, je me suis glissé derrière les bancs pour m'adosser au mur, comme l'aurait fait n'importe quelle vedette de cinéma.

Assis sur un banc de la première rangée, Patrick Ferland suivait les gestes des deux filles en se récurant légèrement le nez. Il ne pouvait pas me voir puisque j'étais derrière lui. Par contre Anik m'a aperçu. Elle m'a souri. Je me suis senti devenir rouge. J'ai tout de suite regardé Patrick. Il n'avait rien remarqué. Le match a commencé.

Peu à peu, des spectateurs ont pris place sur les bancs. Ils n'étaient pas très nombreux. Le match ne leur semblait pas important. Visiblement, c'étaient des connaisseurs venus là pour encourager l'adversaire d'Anik. Ils manifestaient bruyamment chaque fois que la grande fille marquait un point.

En prêtant l'oreille à ce que l'on chuchotait autour de moi, j'ai compris qu'Anik faisait face à la favorite du tournoi, la meilleure joueuse du Québec. Moi qui croyais venir assister à une victoire, je me trompais. Anik était constamment débordée. Elle frappait beaucoup moins fort que l'autre.

Après avoir perdu les trois premières parties, Anik a changé complètement de tactique. Au lieu de remettre simplement la balle en jeu en restant dans le fond du court, elle s'est mise à monter au filet à chaque jeu. La championne a paru décontenancée par ce changement d'attitude. Anik a même réussi à briser deux fois son service, si bien qu'elle a remporté les quatre parties suivantes. Les spectateurs commençaient à murmurer et la championne à contester certaines décisions de l'arbitre. La femme, sur sa haute chaise, en a été ébranlée. Anik aussi. Et le rythme a encore changé.

Bientôt, la championne a repris sa vitesse de croisière en s'injuriant chaque fois qu'elle perdait un point. À mon grand désespoir, elle a finalement arraché le premier set 7 à 5.

Le deuxième set a pris l'allure d'une formalité. Quand Anik restait au fond du court, la grande rousse montait au filet et finissait le point. Quand Anik montait à son tour, la favorite sortait un coup extraordinaire et la passait.

Depuis son sourire du début, Anik ne m'avait pas regardé. Elle se concentrait uniquement sur la balle et devenait de plus en plus nerveuse. Patrick Ferland manifestait son impatience en hochant souvent la tête. Moi, je ne regardais qu'Anik. Si j'avais pu lui communiquer de la force ou du courage, je l'aurais fait volontiers. Mais je n'ai pas réussi. Elle a perdu 6 à 0.

Ce n'est qu'en revenant vers sa serviette qu'elle a encore levé les yeux vers moi. Je lui ai souri. Les défaites, je connaissais ça. Je pouvais partager !

— Qu'est-ce que tu fais ici, Woody ?

Je savais que Patrick Ferland finirait par m'apercevoir.

— Je suis venu voir jouer Anik.

— T'es pas tombé le bon jour.

— C'était pas si mal comme match.

— Qu'est-ce que tu connais là-dedans ?

Je n'ai rien trouvé de brillant à balbutier. Jamais un événement sportif ne m'avait autant énervé que ces cinquante minutes de tennis.

Anik avait soif. Je suis allé lui chercher un jus d'orange au bar. Je m'en suis rapporté un. Comme le tournoi était commandité par Ricard, les fabricants de la boisson à l'anis, Ferland s'est pris un verre de punch.

Anik n'avait pas mangé, elle a décidé de commander un club-sandwich. Patrick a rencontré des gars qu'il connaissait et il ne nous a pas rejoints tout de suite. Il a encore avalé deux ou trois autres verres de punch tout en papotant. Je le soupçonnais de faire exprès pour nous laisser seuls. Anik m'a offert une pointe de son sandwich que j'ai acceptée avec empressement même si je n'avais nullement faim. Elle avait trop soif et j'ai été ravi de la voir finir mon jus d'orange.

Je ne savais pas tellement quoi dire. J'aurais voulu analyser le match, je pataugeais et cherchais mes mots.

— Tu sais, me dit Anik avec douceur, c'est pas plus grave que ça. Y a pas que le tennis dans la vie.

— J'espère bien. Sans ça, je serais vraiment pas choyé.

Elle a ri. Je lui ai dit que le soleil était magnifique. On avait du mal à s'entendre, les gens qui nous entouraient parlaient trop fort. Je n'osais pas crier.

Puis Patrick Ferland est revenu. Il avait trois verres de punch. Anik n'a pas voulu en prendre. Je l'ai imitée.

— Tant pis pour vous autres !

Là, il a enfilé un verre d'un trait. Il était pompette. Il a commencé à dire à Anik qu'elle n'avait pas suivi son plan de match. Je ne sais pas pourquoi il sentait ainsi le besoin de l'humilier devant moi. On aurait dit qu'il voulait me démontrer comment agir avec elle. Au bout d'un moment, j'en ai eu assez.

— Tu peux pas parler d'autre chose, Patrick ?

— De quoi tu te mêles, Woody ?

— Il me semble qu'y a pas que le tennis dans la vie !

Au lieu de me répondre, il a regardé Anik en pleine figure.

— Viens-t'en, on s'en va !

Il aurait aimé l'hypnotiser. Mais elle résistait.

— J'ai pas d'ordre à recevoir de toi.

— Moi, j'm'en vais ! Tu viens ou tu sèches !

Comme un chevalier servant de la vieille tradition, je me suis entendu répliquer :

— Je vais aller la reconduire.

Patrick Ferland m'a fixé droit dans les yeux. S'il avait pu m'étriper, il l'aurait fait. Il a simplement laissé couler un « tabarnak » entre ses dents, il a fait demi-tour et est sorti.

— Tu avais pas besoin de lui parler comme ça. Je suis capable de me défendre toute seule.

139

Anik me souriait. Elle n'avait jamais été aussi belle.

— J'ai mes raisons.

Elle s'est levée, a ramassé son sac, sa serviette, et m'a encore souri.

— Je reviens. Garde mes raquettes.

Dix minutes plus tard, elle revenait du vestiaire, les cheveux mouillés et fous, sans maquillage à l'exception de ses lèvres orange. Elle avait changé de vêtements. J'ai voulu transporter son sac. Elle a refusé. Je l'ai suivie, ses trois raquettes sous le bras.

Dehors, nous nous sommes dirigés vers la Lincoln Continentale noire. Patrick Ferland était dans son auto. Il a ouvert sa portière comme nous passions devant lui. Il a crié à Anik :

— Viens !

— Fous-lui la paix !

C'était sorti de ma bouche sans que je m'en rende compte. Patrick Ferland a fait trois pas dans ma direction. Il m'a donné une claque du revers de la main en pleine figure. J'ai échappé les raquettes d'Anik. Mes lunettes ont bondi sous une auto. Et puis je n'ai jamais vu venir son poing. Je me souviens des étoiles et de mon œil qui a soudainement pris des proportions incroyables. J'ai aussi entendu le cri d'Anik :

— Arrête, imbécile !

Quand j'ai pu articuler une phrase convenable, le sourire d'Anik était tout embrouillé au-dessus de moi. Je lui ai murmuré :

— Je t'aime.

Son visage est devenu moins flou. Elle avait approché sa figure de la mienne et m'a embrassé. Ses lèvres étaient chaudes. Je n'avais plus mal nulle part. J'ai dit :

— Excuse pour tes raquettes.

— Elles ont rien. C'est tes lunettes qui...

J'ai dit :

— J'ai l'air raisin, hein ?

— Pas du tout ! Mais tu as une méchante prune qui te pousse là.

Ses lèvres orange sur ma prune auraient pu me faire tomber dans les pommes.

Le printemps est fou. Merveilleux ! Je n'ai plus de temps pour rien. En classe, sans même étudier, je suis redevenu la bolle que j'étais. Et puis, à la ligue d'improvisation, on me traite de vedette. Je n'ai pas eu le temps de faire réparer mes lunettes. Elles me tiennent tant bien que mal sur le nez grâce à des boules de *scotch-tape*. Et mon nez, puisqu'il est question de lui, n'est plus le terrain propice des boutons nerveux. Est-ce que je devrais m'inquiéter ?

— Toi, on peut dire que tu as changé.

C'est Andréa Paradis qui devient psychologue. Et elle a raison. Il me semble que le monde entier a changé. Depuis que, ma main dans la main d'Anik — ou ma main sur la taille d'Anik —, je traverse lentement le village, j'ai l'impression de me métamorphoser à vue d'œil. Et que tout le monde le remarque.

De son côté, ma grand-mère n'est pas fière que je me sois fait une « petite amie » , selon son expression. Ma mère non plus. Elle voudrait que mon père me parle « entre hommes ». Il est encore trop fragile, trop obsédé par sa défaite politique pour s'attarder à des banalités.

Par chance, l'enthousiasme d'Omer l'emporte. Il me compare à une fleur qui vient enfin d'éclore. Quand il parle de fleurs, un entrepreneur de pompes funèbres sait de quoi il parle.

Le monde entier a changé. La seule chose qui reste pareille, c'est la moto de Luc. Il a réussi, avec l'aide d'un voisin qui possède quelques notions de mécanique, à la remonter. Pour la forme, ça va. Mais elle conserve ses pannes chroniques. Luc est en train d'inventer une série de nouveaux sacres qui pourraient faire école. Il voudrait bien la revendre sans perdre d'argent. Dans le coin, personne n'ignore ses misères. Pas facile, la vie d'un Hell's Angel amateur !

Et puis il y a eu le vendredi 1er mai, jour que je n'oublierai jamais de ma vie.

J'étais imperméable aux groupes rock. Comme tout le monde, j'entendais leurs musiques. Il aurait fallu que je sois sourd ou ermite pour les manquer. Mais je ne savais pas différencier le heavy métal du hard rock ou Paula Abdul de Madonna. D'accord, j'exagère. Disons simplement que je n'étais jamais allé à un spectacle au Forum. Malgré mes préférences pour Amadeus, Jean Sébastien et Antonio, j'ai su me plier à mes amours. Un matin, Luc est arrivé tout excité. Ses parents venaient de s'acheter un minibus et il a promis de nous amener à Montréal à son bord.

— Le 1ᵉʳ mai, il y a le spectacle des New Kids on the Block au Forum.

— Yéééé ! ! !

J'ai dit « yéééé ! ! ! » comme les autres.

Un bon samedi, Andréa et Luc se sont rendus au Forum à cinq heures du matin. Assis sur le trottoir, enveloppés d'un sac de couchage, ils ont attendu que les portes du célèbre édifice ouvrent. Ils voulaient nous obtenir de bons billets. Les New Kids n'auraient qu'à ouvrir un œil de temps en temps pour nous reconnaître.

Ils ont eu de bons billets. Nous

étions fous. Et puis, le vendredi matin, Luc nous a annoncé qu'il ne pouvait pas avoir le minibus. Son père avait décidé n'importe quoi. De toute façon, il avait refusé, point. C'était le découragement. J'ai dit :

— Je vais arranger ça.

J'aurais voulu emprunter la Lincoln d'Omer. Mais il était parti. Alors je n'ai rien dit et j'ai pris le corbillard.

Un corbillard, ce n'est pas un autobus, d'accord ! Mais pour aller au Forum, c'est mieux que rien. Luc, Andréa, Stéphanie Lachapelle et même Caroline Corbeil — qui fait maintenant mine de m'ignorer — ont accepté de monter à bord de mon véhicule... un peu à reculons, c'est vrai. On essaie toujours de retarder son premier tour de corbillard.

Le printemps était fou, la soirée aussi. Au fond, je me foutais éperdument des New Kids on the Block. Au rythme de leurs chansons, j'attrapais souvent la main d'Anik et je l'embrassais à l'intérieur du poignet. Elle sentait bon. Nous avions chaud, mais elle sentait bon. Elle avait maintenant les cheveux de trois nouvelles couleurs. Le rouge l'emportait sur toutes les autres. J'avais les yeux en feu.

À la fin de la soirée, après nos rires au McDonald de la rue Sainte-Catherine, j'ai reconduit tout le monde. À deux heures du matin, il ne restait plus qu'Anik et moi à bord du corbillard. J'ai emprunté doucement un petit chemin de terre.

— Tu te trompes, m'a reproché Anik.

— Je le sais.

— Ah bon !

Elle m'a embrassé sans résister plus longuement. Une fois stationné, j'ai fouillé dans son cou de la pointe du museau. Mes lunettes me fatiguaient. Je les ai posées sur le tableau de bord. Puis j'ai trouvé les petits seins qui me hantaient depuis tant de temps. Ils étaient libres sous son chandail. Dès que ma main les a effleurés, ils ont durci et j'ai senti un grand frisson me parcourir.

Dans ma tête, je me répétais :

— Est-ce que ça se peut ? Est-ce que

c'est vrai qu'un grand raisin comme moi soit rendu là ?

Je ne savais plus si le corbillard se trouvait dans un fossé ou dans l'entrée d'une propriété privée. Je ne savais plus où j'étais. Chaque geste que je posais était trop réfléchi, trop attendu. Nous étions gauches. Nous apprenions à nous toucher.

Deux jours plus tôt, nous avions amorcé quelques caresses. J'avais été incapable de faire quoi que ce soit. Comme si cet incroyable mélange de peur et d'émotion, ces tremblements, cette galopade du cœur m'avaient noué les membres. Cette nuit-là, c'était tout le contraire. Même si la banquette avant du corbillard n'était pas très confortable... même si le volant inutile me harcelait la hanche... même si j'étais en train d'attraper une crampe dans la cuisse... malgré tout, nous fêtions notre amour.

Il y avait la lune, notre seul témoin, avec sa lumière et ses ombres. Anik avait les yeux fermés. J'ai fermé les miens et je me suis perdu dans son odeur. Nous n'aurions jamais eu l'audace de nous étendre dans la partie arrière du corbillard. Nous étions trop vivants pour ça.

J'aurais voulu que notre étreinte dure une éternité ou deux. J'étais tellement bien. Jamais de ma vie je n'aurais imaginé une telle drogue. Anik m'a dit :

— Je suis comme dans de la guimauve.

J'ai répondu :

— Moi aussi.

Et puis elle a ri. Je me demandais ce qui lui prenait.

— Je savais pas que tu avais des culottes « Coup de cœur ».

— C'est... c'est un fétiche.

— Wow ! Des culottes roses avec des éléphants ! C'est super !

En revenant vers sa maison, si nous avions croisé une auto de patrouille, je suis certain que le policier se serait cru dans un rêve. J'avais les yeux ronds, un sourire aux lèvres et la tête d'Anik contre mon épaule. Un chauffeur à deux têtes au volant d'un corbillard, il aurait eu de quoi se frotter les yeux. J'aurais dû ouvrir les miens. Je n'ai jamais vu la mouffette qui traversait le chemin. Nous avons seulement ressenti un choc un peu mou et ensuite... l'odeur.

Anik s'est mise à rire. J'ai fait de même. Puis je l'ai déposée devant chez elle. Elle est sortie en se pinçant le nez. J'ai attendu qu'elle soit entrée avant de revenir stationner le corbillard dans la cour arrière du salon mortuaire. Il était trois heures du matin du jour le plus heureux de ma vie.

*　　*　　*

Je n'avais pas sommeil. J'ai marché, marché et marché jusqu'à cinq heures. Ensuite je suis rentré sans faire de bruit. Ma mère m'attendait évidemment.

— Qu'est-ce que tu as fait ?

— Rien. Je me promenais.

— Jusqu'à cinq heures du matin ? Est-ce que ça a de l'allure ?

— Non. Mais je suis tellement bien.

Je me suis enfermé dans ma chambre. Je n'aurais jamais pu dormir aussi excité. Je me suis installé à ma table et j'ai rédigé le dernier chapitre de cette chronique.

Moins-Cinq nous a demandé d'écrire une nouvelle, je crois que la mienne sera un peu trop longue. Elle ressemble à un petit roman. Et puis je ne sais pas si je lui remettrai ces pages. Elles me semblent trop personnelles. À moins que je change les noms de tous les personnages ? À moins que je leur dessine des masques, que je leur invente des actions éclatantes, une aventure policière ou... Est-ce que je sais quoi encore ? Après tout, chère Anik, c'est pour toi que j'ai écrit cette histoire. Je te la donne. Dis-moi ce que tu en penses. Et, crois-moi, je n'aurais jamais cru qu'elle finirait aussi bien.

J'ai plein de Mozart dans les écouteurs de mon baladeur. Le jour est levé depuis longtemps. Je n'ai pas encore sommeil.

Ce matin, il y a un enterrement. J'observe Omer. Il dirige les funérailles, raide comme il sait l'être en de telles circonstances. Les porteurs du cercueil grimacent quand ils approchent le corbillard. Omer lève les yeux, m'aperçoit. S'il le pouvait, il me montrerait le poing. C'est sûr. Il ne le fait pas. Il sait rester digne.

Moi, je lui souris même si je sais que ça ne se fait pas, que c'est carrément déplacé quand une famille pleure un mort, quand la cérémonie se déroule, quand le corbillard empeste la mouffette. Je sais que ça ne se fait pas, mais je veux qu'Omer, mon grand-père dont j'ai le nez, je veux qu'il sache que je t'aime comme un fou, comme Mozart perdu dans sa musique ou Beethoven dans son *Hymne à la joie*.

Table

DU MÊME AUTEUR

Aux Éditions Leméac
Monsieur Genou

Aux Éditions de l'Actuelle
La Débarque

Boréal Junior

Boréal Inter

Ce troisième tirage a été achevé d'imprimer
en décembre 1993 sur les presses des
Ateliers graphiques Marc Veilleux
à Cap-Saint-Ignace, Québec